BEŞİNCİ ANLAŞMA

Bir Toltek Bilgelik Kitabı

DON MIGUEL RUIZ
DON JOSE RUIZ
VE JANET MILLS

Türkçesi: Çağlayan Erendağ

... ÖTESİ

© KURALDIŞI YAYINCILIK
25 Yaşında

Don Miguel Ruiz - Don Jose Ruiz - Janet Mills
Beşinci Anlaşma
The Fifth Agrement
Türkçesi: Çağlayan Erendağ

Yayın Yönetmeni: Nil Gün

ISBN 978-975-8363-39-1
15. Baskı, Ağustos 2020, İstanbul
1. Baskı, Kasım 2010, İstanbul

Akçalı Ajans aracılığıyla
© 2010, Minguel Angel Ruiz, Jose Ruiz, Janet Mills

Kapak Tasarımı ve Sayfa Düzeni: Ebru Öner

İnkilâp Kitabevi Baskı Tesisleri
Çobançeşme Mah. Altay Sok. No: 8 Yenibosna-Bahçelievler-İstanbul
Tel: 0212 496 11 11
Sertifika No: 44066

Ötesi Yayıncılık
Fener Kalamış Cad. No: 93/8 34726 Kadıköy-İstanbul
Tel: 0216 449 98 05 pbx Faks: 0216 348 00 69
kuraldisi@kuraldisi.com
Sertifika No: 43891

Dağıtım
Alemdar Mah. Çatalçeşme Sok.
No:25 Çatalçeşme Han Cağaloğlu-İstanbul
Tel: 0212 513 81 57 Faks: 0212 511 62 52
İnternet Satış: www.kuraldisi.com

Bu güzel gezegende yaşayan herkese ve gelecek nesillere.

İçindekiler

Kısım II
KUŞKUNUN GÜCÜ

Teşekkür

YAZARLAR; BU KİTABIN ANNESİ JANET MILLS'E; tüm sevgi ve desteğinden dolayı Judy Segal'e; yolu aydınlattığı için Ray Chambers'e; *Dört Anlaşma*'nın mesajını onca insanla paylaştıkları için Oprah Winfrey ile Ellen De Generes'e; ABD Hava Kuvvetleri'ndeki parola sisteminde *Dört Anlaşma*'yı kullandıkları için Ed Rosenberg ve Tümgeneral Riemer'e; bu kitabın gerçekleşmesi için zaman ve yeteneklerini cömertçe sunan Gail Mills, Karen Kreiger ve Nancy Carleton'a; ve sadakatleriyle Toltek öğretilerine verdikleri sürekli destek için Joyce Mills, Maiya Champa, Dave McCullough, Theresa Nelson ve Shkiba Samimi-Amri'ye yürekten şükranlarını sunmayı borç bilirler.

Toltekler

Bundan binlerce yil önce, Toltekler Güney Meksika'da "bilgi sahibi kadın ve erkekler" olarak tanınırlardı. Antropologlar onlardan bir ulus ya da ırk olarak söz etse de, Toltekler aslında kadim insanların ruhani bilgi ve uygulamalarını araştırıp muhafaza eden bilim insanlarıyla sanatçılardan oluşan bir toplum idi. Usta (*nagual*) ve öğrenciler, "İnsanın Tanrı'ya Dönüştüğü" yer olarak bilinen Mexico City dışındaki *Teotihuacan* adlı antik şehrin piramitlerinde bir araya gelirlerdi. Bin yıllar boyunca, *nagual*'lar atalarından gelen bilgeliği gizleyerek varlığını örtbas etmek zorunda kalmışlardır. Avrupa'nın bölgeyi fethiyle birkaç çırağın kişisel gücü sürekli istismarı birleşince, bilginin onu bilgece kullanmaya hazır olmayanlardan ya da çıkarları adına kasten kötüye kullanacaklardan sakınılması gerekti.

Neyse ki, ezoterik Toltek bilgisi biçimlendirilerek farklı *nagual* sülaleleri tarafından nesilden nesle aktarıldı. Asırlar boyu bir sır perdesi altında kalmış olsa da, bilgeliğin

9

halklara iade edilmesini gerektiren bir çağın gelişini duyuran kehanetler vardı. Şimdi Kartal Şövalye sülalesinden *nagual*'lar, Miguel ve Jose Ruiz, güçlü Toltek öğretilerini bizlerle paylaşmak üzere görevlendirilmiş bulunuyor.

Toltek bilgeliği, dünyadaki tüm kutsal ezoterik gelenekler gibi, aynı hakikat birliği özünden yükselir. Bir din olmamakla birlikte, yeryüzünde öğretmenlik yapmış tüm ruhani ustaları sayar. Ruhu sarmaladığı halde, en doğrusu, onu mutluluk ve sevgiye erişim kolaylığının öne çıktığı bir yaşam biçimi olarak tanımlamaktır.

Giriş

DÖRT ANLAŞMA yıllar önce yayımlandı. Onu okuduysanız, bu anlaşmaların neler yapabileceğini zaten biliyorsunuzdur. Kendinizle, başkalarıyla, *hayatla* yaptığınız binlerce kısıtlayıcı anlaşmayı bozarak yaşamınızı dönüştürme kudreti vardır onlarda.

Dört Anlaşma'yı ilk okuyuşunuzda, büyüsü kendini göstermeye başlar. Etkisi okuduğunuz kelimelerin anlamından çok daha derindir. Kitaptaki her kelimeyi önceden biliyormuş gibi hissedersiniz; belki hissedip de asla ifade etmediğiniz kelimeler. Kitabı ilk okuyuşta, inandıklarınıza meydan okuyarak sizi anlayışınızın sınırlarına getirir. Pek çok kısıtlayıcı anlaşmayı bozar, pek çok engeli aşsanız da, sonra yenileri gelir. İkinci okuyuşta, yeni bir kitap olduğu hissine kapılırsınız çünkü algılarınızın sınırları genişlemiştir bile. Bir kez daha, daha derin bir farkındalık düzeyine götürür sizi ve o an erişebileceğiniz sınıra varırsınız. Üçüncü kez okuduğunuzda ise, yepyeni bir kitap gibi gelir.

Tıpkı sihirliymiş gibi çünkü gerçekten de öyledir *Dört Anlaşma*. Sizin yavaş yavaş özgün benliğinizi keşfetmenize yardımcı olur. Uyguladıkça, bu dört basit anlaşma sizi yaşar-mış gibi yaptığınız yere değil gerçekte neyseniz oraya götürür. Tam da olmak istediğiniz yer burasıdır: Gerçekte neyseniz, o olmak.

Dört Anlaşma'daki ilkeler, gencinden yaşlısına, herkesin yüreğine hitap eder. Dünyanın her yerinden farklı kültürlere; farklı diller konuşan, son derece farklı din, felsefe ve inanca sahip insanlara seslenir. İlkokuldan liseye, liseden üniversiteye çok değişik türden okullarda okutulmuşlardır. Saf sağduyu olduklarından, *Dört Anlaşma*'daki ilkeler herkese ulaşır.

Şimdi, artık yeni bir armağan verme zamanı geldi: *Beşinci Anlaşma*. Beşinci anlaşma ilk kitabımda yer almıyordu çünkü ilk dört anlaşma o zaman için yeterince zorlu idi. Beşinci anlaşma da elbette sözle yapılmıştır ancak anlam ve niyeti kelimeleri aşar. Beşinci anlaşma, en son aşamada tüm gerçeğinizi, sözler *olmaksızın*, hakikatin gözünden görmektir. Beşinci anlaşmayı uygulamanın sonucu, kendinizi tamamen olduğunuz gibi, başka herkesi de olduğu gibi kabul etmektir. Bunun ödülü ebedi mutluluğunuzdur.

Uzun yıllar önce, bu kitabın içerdiği kimi kavramları yardımcılarıma öğretmeye başlamıştım, sonra anlatmaya çalıştıklarımı anlamaya kimsenin hazır olmadığını keşfedince, buna son verdim. Yıllar sonra, oğlum don Jose, aynı öğretileri bir grup öğrenciyle paylaşmaya başladığında ise, benim başaramadığımı başardı.

Don Jose'nin başarıya ulaşma nedeni, belki mesajı paylaşmaya olan eksiksiz inancı idi. Varlığının ta kendisi gerçeği söylüyor, sınıfına gelenlerin inançlarına meydan okuyordu. Onların hayatında oğlum muazzam bir fark oluşturmuştu. Don Jose Ruiz çocukluğundan beri, konuşmaya başladığından bu yana, çırağımdı. Bu kitapta oğlumu sizlerle tanıştırmak ve yedi yıl boyunca birlikte anlattığımız öğretilerin özünü sizlere sunmaktan onur duyuyorum.

Mesajı mümkün olduğunca kişiselleştirmek ve daha önceki Toltek Bilgeliği serisi kitaplarındaki birinci tekil şahıs sesini sürdürmek adına, *Beşinci Anlaşma*'da da aynı şahıs kipini sürdürmeyi yeğledik. Bu kitapta, siz okurlara tek ses, tek yürek olarak sesleniyoruz.

Kısım I

SEMBOLLERİN GÜCÜ

1

BAŞLANGIÇTA
Her Şey Programlanmış

DOĞDUĞUNUZ ANDAN İTİBAREN dünyaya bir mesaj iletirsiniz. Bu mesaj nedir? Mesaj çocuktur, yani *sizsiniz*. Bir insanın bedenindeki sonsuzluğun elçisi olan *meleğin* varlığıdır. Sonsuzluk, o tam güç sadece sizin için bir program yaratır. Kendiniz olmak için gerek duyduğunuz ne varsa, o programın içindedir. Doğar, büyür, çiftleşir, yaşlanır ve en sonunda sonsuza geri dönersiniz. Bedeninizdeki her hücre zeki, eksiksiz ve neyse o olmaya programlanmış kendi başına birer evrendir.

Siz, her ne iseniz *o insan* olmaya programlanmış durumdasınız ve zihninizin kim olduğunuzu *sandığı* bu program açısından hiç fark etmez. Program düşünen zihinde değildir. Bedende, *DNA* dediğimiz yerdedir ve başlangıçta siz onun bilgeliğini içgüdüsel olarak izlersiniz. Küçücük bir çocuk olarak, ne sevdiğinizi, sevmediğinizi, ne zaman, neyi sevip sevmediğinizi bilirsiniz. Sevdiğinizi izler, sevmediklerinizden uzak durmaya çalışırsınız. İzlediğiniz içgüdüleriniz sizi mutlu olmaya, hayattan zevk almaya, oynamaya, sevmeye, ihtiyaçlarınızı karşılamaya yönlendirir. Peki, sonra ne olur?

Bedeniniz gelişmeye, zihniniz olgunlaşmaya başladıkça, siz de mesajınızı iletmek için semboller kullanmaya başlarsınız. Nasıl kuşlar kuşları, kediler kedileri anlarsa, insanlar da insanları semboloji sayesinde anlarlar. Bir ıssız adada doğup tek başınıza yaşasaydınız bile, belki on yıl sürerdi ama eninde sonunda gördüğünüz her şeye bir ad verir, sadece kendi kendinize de olsa bir mesajı iletmek için bulduğunuz o dili kullanırdınız. Neden böyle yapardınız? Bunu anlamak kolay, nedeni insanların çok akıllı olmaları değil. Biz insanların bir dil yaratmak, kendimize göre bir semboloji icat etmek üzere programlanmış olduğumuzdandır.

Bildiğiniz gibi, dünyanın dört bir yanında insanlar binlerce farklı dilde konuşur ve yazarlar. İnsan, sadece diğer insanlarla değil, daha önemlisi kendisiyle iletişim kurabilmek için türlü çeşitli semboller icat etmiştir. Bu semboller çıkarttığımız sesler, yaptığımız hareketler ya da doğası grafik olan el yazısı ve işaretlerdir. Nesneler, fikirler, müzik ve matematik için semboller olsa da, ilk adım sesin girişiyle başlar, bu da sembolleri kullanmayı konuşmak için öğrendiğimiz anlamına gelir.

Bizden önce gelmiş olanlar, zaten var olan her şeye birer isim verdiklerinden, bize seslerin anlamlarını öğretmek kalır. Şuna *masa,* buna *iskemle* derler. Denizkızı ya da tek boynuzlu at gibi yalnızca hayalimizde yaşayan nesnelere de birer isim vermişlerdir. Öğrendiğimiz her kelime gerçek ya da hayal ürünü bir şeyi sembolize eder. Öğrenecek binlerce kelime vardır. Bir ve dört yaş arası çocukları gözlemlediğimizde, onların tüm sembolojiyi öğrenmekte gösterdikleri gayreti görürüz. Zihnimiz henüz olgunlaşmadığından genellikle anımsayamadığımız büyük bir çabadır bu ama tekrarlayıp uygulayarak sonunda konuşmayı öğreniriz.

Bakıp büyütenler kendi bildiklerini aktardıklarından, konuşmayı ilk öğrendiğimizde bizi bilgiyle programlayan da onlardır. Birlikte yaşadığımız insanlar, kültürlerine özgü sosyal, dini ve ahlâki kurallar dahil, epeyce bilgi sahibidirler. Dikkatimizi yakalar, bilgiyi aktarır ve bize kendileri gibi olmayı öğretirler. Nasıl bir kadın ya da erkek olacağımızı içinde doğduğumuz toplum doğrultusunda öğreniriz. Toplumumuza göre "doğru" hareket etmeyi öğreniriz ki bu da nasıl "iyi" insan olunacağı ile eş anlamlıdır.

Aslında, tıpkı bir kedi, köpek ya da herhangi bir hayvan gibi, yani ceza ve ödüllendirme yöntemiyle evcilleştirilmiş oluruz. Büyüklerin istediğini yaptığımızda, bize "aferin çocuğum" denir. Onların istediklerini yapmadığımızda ise "kötü çocuk" oluruz. Bazen kötü çocuk olmadan cezalandırılırız, bazen de iyi çocuk olmadan ödüllendiriliriz. Cezalandırılma korkusuyla ödülden mahrum edilme korkusu yüzünden başkalarını memnun etmeye uğraşırız. İyi olmaya çalışırız zira kötülere ödül değil ceza verilir.

İnsanın evcilleştirilmesinde, ailemizin tüm değer ve kuralları bize dayatılır. İnançlarımızı seçme imkânımız yoktur, neye inanacağımız ve inanmayacağımız bize dikte edilir. Birlikte yaşadığımız insanlar bize kendi fikirlerini söylerler: şu doğru bu yanlış; şu iyi bu kötü; şu güzel bu çirkin. Tıpkı bir bilgisayar gibi bütün bu bilgiler kafamıza yüklenir. Biz masumuzdur, ana babamız ve diğer büyüklerimizin sözlerine *inanırız;* onları *kabul ederiz* ve bilgi hafızamızda saklanır. Öğrendiğimiz ne varsa, zihnimize anlaşma sonucu girer, orada anlaşma sonucu kalır ancak, önce dikkatten geçer.

Zihnin geniş bir olasılıklar yelpazesi içindeki tek bir nesneye odaklanmamızı mümkün kılan bölümü olduğu için, insanlarda dikkat çok önemlidir. Dikkat sayesinde dışarıdan gelen enformasyon içeriye, içerideki de dışarıya aktarılır. Dikkat, insandan insana mesaj yollamak ve almak için kullandığımız kanaldır. Bir zihinden diğerine kurulmuş bir köprüye benzer. O köprüyü sesler, işaretler, semboller, dokunuş; kısacası dikkati yakalayan her olayla kurarız. Böyle öğrenir, böyle öğretiriz. Dikkatini vermeyen birine hiçbir şey öğretemediğimiz gibi, dikkatimizi vermezsek hiçbir şey öğrenemeyiz.

Büyüklerimiz bize dikkati kullanarak, semboller yoluyla zihnimizde gerçekliğin tamamını yaratmayı öğretirler. Sembolojiyi seslerle öğrettikten sonra, alfabeyi kafamıza sokarlar ve bu kez aynı dili sembollerle, grafik olarak öğreniriz. Hayal gücümüz gelişmeye başlar, merakımız güçlenir ve sorular sormaya başlarız. Sorar, sorar, durmak bilmeden sorarız; her yerden enformasyon toplarız. Kafamızda kendi kendimize sembolleri kullanarak konuşmaya başladığımızda, bir dilin nihayet ustası olduğumuzu anlarız. İşte *düşünmeye* o zaman başlarız. Ondan önce, düşünmez; iletişim kurmak için sözlerle sembolleri taklit ederiz. O sembollere anlam ve duygu yüklemezden önce, hayat gayet basittir.

Bir kez sembollere anlam vermeye başlayınca, yaşamımızda olup bitenlerden bir anlam çıkartmaya çabalarken kullanırız onları. Gerçek olan ve olmayan ama gerçekmiş gibi hayal ettiğimiz güzel, çirkin, sıska, şişko, akıllı, aptal gibi şeyleri düşünürken sembolleri kullanırız. Ve dikkat ettinizse, ancak ustalaşmış olduğumuz bir dilde düşünebiliriz. Uzun yıllar tek konuştuğum dil İspanyolca idi ve İngilizce düşünebilecek kadar İngilizce sembolü öğrenmem epeyce zaman aldı. Bir dilde ustalaşmak kolay değilse bile, belli bir noktada öğrendiğimiz sembollerle *düşündüğümüzü* fark ederiz.

Beş-altı yaşında okula başladığımızda, doğru ve yanlış, kazanan ve kaybeden, kusursuz ve kusurlu gibi soyut kavramların anlamını biliyoruzdur. Okulda, zaten bildiğimiz sembollerle okuma yazmayı öğreniriz ve yazılı dil sayesinde bilgi birikimimiz artar. Daha da çok sembole anlam yüklemeyi sürdürürken, artık düşünmek yalnız çabasız değil, kendiliğinden olur.

Şimdi, öğrendiğimiz semboller kendi kendilerine dikkatimizi yakalıyor. Artık bildiklerimiz bizimle konuşmaktadır ve biz de bilgimizin söylediklerini dinleriz. Ben buna *bilginin sesi* diyorum; çünkü bilgi kafamızda konuşur. Çoğu zaman o sesi farklı tonlarda işitiriz; annemizin, babamızın, kız ve erkek kardeşlerimizin hiç durmadan konuşan sesidir bu. Gerçek değildir, biz yaratmışızdır onu. Ama gerçekliğine *inanırız*, çünkü inancımızın gücüyle ona hayat veririz. Bu da demektir ki, onun her dediğine *kuşku duymadan* inanırız. Çevremizdeki insanların görüşleri zihnimizi ele geçirdiğinde, böyle olur.

Herkesin bizimle ilgili bir görüşü vardır, ne olduğumuzu bize onlar söyler. Küçükken, ne olduğumuzu bilmeyiz. Kendimizi ancak bir aynadan görebiliriz, o ayna da çevremizdeki insanlardır. Annemiz "şöylesin" der, ona inanırız. Onun dedikleri babamız veya diğer kardeşlerimizinkilerden bambaşkadır ama olsun, onlarla da aynı fikirdeyizdir. İnsanların dış görünüşümüz hakkındaki fikirleri, özellikle çocukluğumuzda çok doğru gelir. "Baksana, annenin gözlerini almışsın, burnun da tıpkı deden." Ailemizin, öğretmenlerimizin, okuldaki bizden büyük çocukların bütün fikirlerini dinleriz. O aynalarda imgemizi görür, öyle olduğumuzu kabul ederiz ve kabullenmemizle birlikte, o görüş inanç sistemimizin parçası haline gelir. Azar azar, tüm o görüşler davranışlarımızı meydana getirir ve zihnimizde başkalarının sözlerine göre kendi imgemizi oluştururuz: "Güzelim, pek güzel değilim; akıllıyım, o kadar da akıllı değilim; hep kazanırım; hep kaybederim. Şu işi iyi yaparım, o işi yapamam." Bir noktada, ana baba ve öğretmenlerimizin, din ve toplumun tüm o kanıları sonucunda kabul edilmek için belli bir biçime girmemiz gerektiğine bizi inandırır.

Bize nasıl olmamız, görünmemiz, davranmamız *gerektiğini* onlar söyler. *Şöyle* olmalıyım, *böyle* olmamalıyım; olduğumuz gibi kabul görmediğimizden, olmadığımız gibi davranırız. Reddedilme korkusu yeterince iyi olmama korkusuna dönüşür ve *kusursuzluk* adını verdiğimiz bir şeyin arayışına girişiriz. Bu arayışta, kusursuzluğun, olmayı dilediğimiz ama olmadığımızı bildiğimiz halin, bir imgesini oluşturur, sonra da kendimizi yargılamaya başlarız. Kendimizden hoşlanmayız ve "Bak ne salaksın; ne çirkinsin. Ne şişko, ne kısa, ne zayıf, ne aptalsın" diye kendi kendimizle konuşuruz. İşte dram burada başlar çünkü semboller bize karşı gelmektedir. O sembolleri kendimizi dışlamak için öğrendiğimizi fark etmeyiz bile.

Evcilleşmeden önce, ne olduğumuzu, nasıl göründüğümüzü hiç umursamayız. Araştırmaya, yaratıcılığımızı ifadeye, zevke yaklaşıp acıdan kaçınmaya yatkınızdır. Çocuklukta, özgür ve vahşiyizdir; kendimizden utanç duymadan ve kendimizi yargılamadan çırılçıplak koşarız. Doğruyu söyleriz çünkü gerçekte yaşarız. Dikkatimiz andadır: gelecekten korkmaz, geçmişten utanmayız. Evcilleştirildikten sonra, herkes için iyi olmaya çalışırız ama artık kendimiz için yeterince iyi değilizdir çünkü asla kendi kusursuzluk imgemize layık olacak biçimde yaşayamayız.

Tüm normal insancıl eğilimlerimiz evcilleşme sürecinde yok olmuştur ve biz kaybettiğimizi aramaya koyuluruz. Özgürlüğün peşine düşeriz çünkü artık gerçek halimizi yaşama özgürlüğüne sahip değilizdir; mutluluğu ararız çünkü artık mutlu değilizdir; güzelliği aramaya başlarız çünkü artık güzel olduğumuza inanmayız.

Büyümeye devam ederiz. Bedenimiz ergenlik çağında *hormonlar* dediğimiz salgıları üretmek üzere programlanmıştır. O artık çocuk bedeni olmaktan çıkmıştır. Eski yaşam tarzımıza uyum sağlayamayız. Ana babamızdan neyi yapıp yapamayacağımıza dair sözler işitmek istemeyiz. Özgürlüğümüzü isteriz, kendimiz olmak isteriz, öte yandan kendimiz olmaktan korkarız. Herkes bize "Artık çocuk değilsin" der oysa yetişkin de değilizdir ve bu dönem biz insanlar için oldukça zordur. Yeniyetme çağımızda, kimsenin bizi evcilleştirmesine gerek kalmamıştır. Biz zaten kendimizi yargılamayı, cezalandırmayı ve ödüllendirmeyi, bize verilen inanç sistemiyle ceza ve ödül sistemini kullanarak uygulamayı öğrenmişizdir. Dünyanın kimi bölgelerindeki insanlara bu evcilleşme daha kolay, kimi yerlerindekilere ise daha zor gelebilir. Ancak hiçbirimizin bu evcileştiril-meden kaçma şansı yoktur. Hiçbirimizin.

Nihayet beden olgunlaşır ve her şey yeniden değişir. Bir kez daha bir arayış içine gireriz ancak şimdi giderek daha çok aradığımız, *kendi benliğimizdir.* Sevgiyi ararız çünkü onun dışımızda bir yerlerde olduğuna inanmayı öğrenmi-şizdir; adaleti ararız çünkü bize öğretilen inanç sisteminde adalet yoktur; hakikati ararız çünkü yalnızca beynimizde sakladığımız bilgiye inanırız. Ve elbette, hâlâ aradığımız kusursuzluktur çünkü artık "hiç kimse kusursuz değildir" diye düşünen tüm diğer insanlarla hemfikirizdir.

2

SEMBOLLER VE ANLAŞMALAR
İnsanların Sanatı

YETİŞTİĞİMİZ YILLAR BOYUNCA, kendimizle, toplumla, çevremizdeki herkesle sayısız anlaşmalar yaparız. Ama yaptığımız en önemli anlaşma kendimizle öğrendiğimiz sembolleri anlayarak yaptığımız anlaşmadır. Semboller, bize kendimize dair ne gibi inançlarımız olduğunu anlatırlar; onlar bize ne olup ne olmadığımızı, neyin mümkün, neyin imkânsız olduğunu söylerler. Bildiğimiz ne varsa, hepsini bize bilginin sesi söyler. Peki, bildiklerimizin hakikat olup olmadığını kim söyleyecek bize?

İlkokula, ortaokul ve liseye, üniversiteye gittiğimizde epeyce bilgi ediniriz ama aslında bildiğimiz nedir? Hakikatte ustalaşmış mıyız? Hayır, bir dilde, sembolojide ustayız ve tek hakikat o semboloji. *Gerçekten* hakikat olduğundan değil, onunla *anlaştığımız, hemfikir olduğumuz* için öyle. Doğum yerimiz neresi olursa olsun, hangi dili konuşmayı öğrenmiş olursak olalım, öğrendiğimiz sembollerle başlamak üzere, bildiğimiz her şey anlaşmalarla ilgilidir.

İngiltere'de doğmuşsak, İngiliz sembollerini öğreniriz. Çin'de doğmuşsak Çin sembollerini öğreniriz. İster İngiliz, ister Çin, İspanyol, Alman ya da Rus sembolleri olsun, sembollerin ancak biz onlara bir değer biçtiğimiz ve anlamları üzerinde anlaşmaya vardığımız için değerleri vardır. Anlaşmadığımız sürece, semboller değersizdir. "Ağaç" kelimesi Türkçe konuşan insanlar için anlamlıdır, ancak onun bir anlam taşıdığına *inanmadığımız* sürece, bu konuda *anlaşmadığımız* takdirde hiçbir şey ifade etmez. Benim için taşıdığı anlamı sizin için de taşıyorsa birbirimizi anlarız. Şu anda ne söylüyorsam, her kelimesini anlıyorsunuz çünkü zihinlerimizde programlanmış tüm sözcüklerin anlamı üzerinde anlaşıyoruz. Ama bu tamamen hemfikir olduğumuz anlamına gelmez. Her birimiz her kelimeye bir anlam veririz ama bu herkes için aynı olmayabilir.

Herhangi bir kelimenin ortaya çıkış biçimine dikkatimizi odaklarsak, o kelimeye verdiğimiz anlam her ne ise, bu bir nedene dayanmamaktadır. Biz nereden çıktığı belli olmayan kelimeleri bir araya getirir, onları uydururuz. İnsanlar her sesi, her harf ve grafik sembolü icat ederler. "A" sesini duyar, bu sesin sembolü "a" olsun deriz. Sesi temsil edecek sembolü çizer, sembolle sesi birleştirir ve ona bir anlam veririz. Sonra zihnimizdeki her kelimenin bir anlamı olur, gerçek öyle olduğundan ya da hakikatin ta kendisi olduğundan değil. Bu yalnızca kendimizle ve aynı sembolojiyi öğrenmiş olan başkalarıyla yaptığımız bir anlaşmadır.

İnsanların farklı bir dil konuştukları bir ülkeye gittiğimizde, aniden o anlaşmanın değerini anlarız. Un *árbol* es solo un *árbol*, el *sol* es solo el *sol*, la *tierra* es solo la *tierra* si estamos de acuerdo. Ένα δέντρο είναι μονάχα ένα δέντρο, ο ήλιος είναι μονάχα ο ήλιος, η γη είναι μονάχα η γη, αν συμφωνούμε. Ein *baum* ist nur ein *baum*, die *Sonne* ist nur die *Sonne*, die *Erde* ist nur die *Erde* wenn wir uns darauf verstandig haben. 樹只是樹，太陽只是太陽，土地就是土地，只要我們也這樣想。 A *tree* is only a *tree*, the *sun* is only the *sun*, the *earth* is only the *earth* if we agree. Bir *ağaç* yalnızca bir *ağaç*, *güneş* yalnızca *güneş*, *toprak* yalnızca *toprak*tır; eğer hepimiz anlaşırsak. Fransa, İsveç, Rusya gibi anlaşmaların farklı olduğu yerlerde bu sembollerin hiçbir anlamı yoktur.

Eğer İngilizce öğrenip Çin'e gidersek, insanların konuşmalarını duyar ama söylediklerinin tek kelimesini anlamayız. Hiçbir şeyin bizim için anlamı yoktur çünkü öğrendiğimiz semboloji bu değildir. Pek çok şey bize yabancı gelir. Adeta başka bir dünyaya gelmişizdir. İbadet yerlerini ziyaret ettiğimizde, inançlarının tamamen farklı olduğunu görürüz, törenleri tamamen farklıdır, mitolojilerinin bizim öğrendiklerimizle ilgisi bile yoktur. Yeni inançlar eskileriyle çarpışır ve hemen kuşku kendini gösterir: "Hangisi doğru, hangisi yanlış? Önceden öğrendiklerim doğru mu? Yoksa şimdi öğrendiklerim mi doğru? Hakikat nedir?"

Hakikat, öğrendiklerimizin yüzde yüzü algıladıklarımızı ifade etme ve anlama ihtiyacından doğan, bizim icat ettiğimiz sembolizm ya da kelimelerden başka bir şey değildir. Zihnimizdeki ve bu sayfadaki her kelime yalnızca bir semboldür ve her kelimenin inancımız üzerinde gücü vardır çünkü onun anlamına kuşkusuzca *inanırız*. İnsanlar sembollerden ibaret bir inanç sistemi kurarlar; bizler bilgiden oluşan kocaman anıtlar kurarız. Sonra kendimizi ve tüm evreni algılayış biçimimizi; inançlarımızı doğrulamak ve önce kendimize sonra başkalarına açıklayabilmek üzere, sembolojiden ibaret olan tüm bildiklerimizi kullanırız.

Bütün bunların bilincinde olursak, dünyanın tüm farklı mitlerinin, din ve felsefelerinin, tüm değişik inanç ve düşünce tarzlarının kendimiz ve başka insanlarla yaptığımız anlaşmalardan başka bir şey olmadığını anlarız. Hepsi bizim yarattığımız şeyler ama gerçek mi onlar? Var olan her şey gerçektir: yeryüzü, yıldızlar, tüm evren daima gerçek olmuştur. Ancak bildiklerimizi inşa etmekte kullandığımız semboller sadece biz öyle dediğimiz için gerçektirler.

İncil'de Tanrı ve insan arasındaki ilişkiyi anlatan harika bir hikâye vardır. Tanrı'yla Âdem birlikte dünyada dolaşmaktadırlar. Tanrı Âdem'e nesnelere ne isim vermek istediğini sorar. Âdem algıladığı ne varsa, hepsine birer ad verir. "Buna *ağaç* diyelim. Şuna *kuş* diyelim, buna *çiçek* diyelim..." ve Tanrı Âdem'le anlaşır. Hikâye sembollerle, tüm bir dilin yaratılması ile ilgilidir ve anlaşma yoluyla işlerlik kazanır.

Tıpkı bir madeni paranın iki yüzü gibi, bir yanı saf algıdır, yani Âdem'in algıladıkları; diğer yanı ise algıladığı her ne ise, Âdem'in ona verdiği anlamdır. Bir hakikat dediğimiz, algılamanın nesnesi vardır, bir de ancak bakış açısı dediğimiz bizim hakikati yorumlamamız. Hakikat nesneldir, ona *bilim* deriz. Bizim hakikati yorumlamamız ise, özneldir; ona da *sanat* deriz. Bilim ile sanat; hakikat ve bizim hakikati yorumlamamız. Asıl hakikat hayatın yaratılışıdır. Ve bu mutlak hakikattir çünkü herkes için geçerlidir. Hakikatin yorumu bizim kendi yarattığımız bir şeydir ve görece bir gerçektir çünkü ancak anlaşma halinde geçerlidir. Bu farkındalıkla, insan zihnini anlamaya başlayabiliriz.

Tüm insanlar hakikati algılamak üzere programlanmıştır ve bunu yapmak için aslında bir lisana ihtiyacımız yoktur. Ancak hakikati *ifade* etmek için bir lisan kullanmak zorundayız, işte bu ifade de bizim sanatımızdır. O artık gerçeklik olmaktan çıkmıştır çünkü kelimeler semboldürler ve semboller hakikati ancak temsil ya da "sembolize" edebilirler. Örneğin, "ağaç" sembolünü bilmesek de, bir ağacı görürüz. Sembol olmaksızın, gördüğümüz yalnızca bir nesnedir. Nesne hakikidir, gerçektir ve biz onu algılarız. Bir kez ona "ağaç" adını verdikten sonra, artık bakış açısını ifade etmek için sanatı kullanıyoruzdur. Daha fazla sembol kullanarak, ağacın her yaprağını, her rengini tasvir edebiliriz. Onun büyük bir ağaç, küçük bir ağaç, güzel ya da çirkin bir ağaç olduğunu söyleyebiliriz. Ama hakikat bu mudur? Hayır, ağaç hep aynı ağaçtır.

Bizim ağacı yorumlamamız, ona olan duygusal tepkimizden kaynaklanacaktır, duygusal tepkimiz ise ağacı zihnimizde yeniden yaratırken kullandığımız sembollere bağlıdır. Gördüğünüz gibi, bizim ağaç yorumumuz tam da hakikati yansıtmaz. Ancak yorumumuz hakikatin bir *yansımasıdır* ve biz o yansımaya *insan zihni* deriz. İnsan zihni sanal gerçekten başka bir şey değildir. O sahici değildir. Sahici olan hakikattir. Hakikat; herkese göre gerçektir. Ancak sanal gerçek bizim kişisel yaratımızdır; sanatımızdır ve ancak her birimiz için "gerçek"tir.

Biz *hepimiz*, tüm insanlar, sanatçıyız. Her sembol, her kelime küçük bir sanat eseridir. Bence, programlanmamız sayesinde, zihnimiz dâhilinde sanal bir gerçeklik yaratmak üzere dili kullanımımız en büyük eserimizdir. Yarattığımız sanal gerçeklik, hakikatin berrak bir yansıması olabileceği gibi tamamen çarpıtılmış da olabilir. Ama her durumda sanattır. Yarattığımız, kişisel cennetimiz de olabilir cehennemimiz de, hiç fark etmez; sanattır. Ancak gerçek olanla sanal olanın farkındalığı ile yapabileceklerimiz sonsuzdur.

Hakikat, kendine hâkim olmaya, çok kolay bir hayata ulaştırır; onu çarpıtmak ise gereksiz çatışma ve acı çekmeye yol açar. Farkında olmak ise her şeyi değiştirir.

İnsanlar bilinçle, farkındalıkla doğarlar; biz hakikati algılamak üzere doğarız ve bilgi birikimimizle algıladığımızı inkâr etmeyi öğreniriz. Farkında olmamayı çalışır, farkında olmamakta ustalaşırız. Burada sözcük saf sihirdir ve sihrimizi kendimize karşı, yaratılışa karşı, kendi türümüze karşı kullanmayı öğreniriz. Farkında olmak, gözlerini açıp gerçeği görmektir. Gerçeği görünce her şeyi inandığımız şekliyle değil, arzuladığımız şekliyle de değil, olduğu gibi görürüz. Farkındalık milyonlarca olasılığa kapı açar ve kendi hayatımızın sanatçısı olduğunu bildiğimiz sürece tüm bu olasılıkların arasından bir seçim yapabiliriz.

Sizlerle paylaştıklarım benim *Toltek Bilgeliği* adını verdiğim kişisel eğitimimden geliyor. Toltek, Nahuatl dilinde sanatçı anlamına gelen bir kelimedir. Benim bakış açımdan, *Toltek* olmanın dünyada bir yer ya da bir felsefe ile hiç ilgisi yoktur. *Toltek* olmak, yalnızca bir sanatçı olmaktır. Bir *Toltek* ruhun sanatçısıdır ve sanatçı olarak, bizler güzelliği sever, güzellik olmayanı sevmeyiz. Daha iyi sanatçı olursak sanal gerçeğimiz hakikatin daha iyi bir yansıması olur ve sanatımızla bir cennetten bir başyapıt yaratırız.

Binlerce yıl önce Toltekler sanatçının üç ustalığını yaratmışlar: *Farkındalık ustalığı*, *dönüşüm ustalığı* ve *sevgi, niyet* veya *inanç ustalığı*. Bu ayrım aslında sadece daha iyi anlayabilmek için, zira üç ustalık aslında birdir. Hakikat tektir, sözünü ettiğimiz de budur. Bize ıstıraptan çıkış yolunu gösteren, bizi mutluluk, özgürlük ve sevgiden oluşmuş gerçek doğamıza döndüren bu üç ustalıktır.

Toltekler farkında olarak ya da olmayarak sanal bir gerçeklik yaratacağımızı anlamışlardır. Farkındalıkla, yarattıklarımızdan zevk alırız. Dönüşüme karşı koysak da onu kolaylaştırsak da sanal gerçekliğimiz sürekli dönüşüm içindedir. Eğer dönüşüm sanatını uyguluyorsak, dönüşüm kısa sürede kolaylaşır ve sihri kendimize karşı kullanmak yerine, onunla mutluluk ve sevgimizi ifade etmiş oluruz. Sevginin, niyetin ya da inancın ustası olduğumuzda, hayatımızın düşünün de ustası oluruz ve üç ustalığa da erişildiğinde ilahi yanımıza sahip çıkarak Tanrı'yla bir oluruz. Tolteklerin hedefi budur işte.

Onların elinde bugün bizim sahip olduğumuz teknoloji yoktu; bilgisayarların sanal gerçekliğinden habersizdiler. Ama insan zihninin sanal gerçekliğini yakalamayı biliyorlardı. İnsan zihninde ustalaşmak dikkatin tam kontrolünü gerektirir; içimizde ve dışımızda algıladığımız bilgiyi yorumlama ve ona tepki verme şeklini. Toltekler her birimizin tıpkı Tanrı'ya benzediğimizi anlamışlardı ancak bizler yaratmak yerine yeniden yaratmaktayız. Peki, yeniden yarattığımız nedir? Algıladıklarımızdır. İnsan zihni haline gelen budur.

İnsan zihninin niteliğini ve neler yaptığını anlarsak, gerçeği sanal gerçekten ya da aynı zamanda gerçek olan saf algıyı, sanat olan sembolojiden ayırt edebiliriz. Kendine hakim olmak farkındalık ister. Önce neyin gerçek olduğunun, sonra da sanal olanın farkında olmak ki bu da neyin gerçek olduğu konusunda neye inandığımızı açıklar. Bu farkındalıkla, inandıklarımızı değiştirerek sanal olanı değiştirebileceğimizi biliriz. İnandığımız ne olursa olsun, gerçek olanı değiştirmemiz mümkün değildir.

3

SİZİN HİKÂYENİZ
Birinci Anlaşma: Kullandığınız Sözcükleri Özenle Seçin

BİNLERCE YIL BOYUNCA İNSANLAR EVRENİ, doğayı ve esas olarak da insanın *doğasını* anlamaya çalışmışlardır. Dünya denen bu güzel gezegende var olan farklı kültür ve coğrafyalarda insanları eylem içinde gözlemlemek hayret verici bir şey. Anlamak için büyük gayret gösterirken, insan aynı zamanda pek çok varsayım yapar. Biz sanatçılar, gerçeği çarpıtıp inanılmaz hikâyeler uydururuz, felsefi ekoller ve şaşırtıcı dinler yaratırız. Kendimiz dâhil, her konuyla ilgili batıl inanç ve öyküler üretiriz. Ve mesele tam da budur: *Onları biz yaratırız.*

Öğrendiğimiz kelimelerle, doğuştan sahip olduğumuz yaratma gücünü birleştirip sürekli hikâyeler yaratırız. Her birimiz fikirlerimizi oluşturmak ve bakış açımızı ifade etmek için sözden yararlanırız. Çevremizde sayısız olay cereyan ederken, tüm bu olayları bir hikâyede birleştirme yetisine sahibiz. Yaşamımıza, ülkemize, insanlığa, tüm dünyaya dair bir hikâye yaratırız. Her birimizin paylaştığı bir öykü, kendimize, çevremizdeki herkes ve her şeye verdiğimiz bir mesaj vardır.

Siz bir mesaj vermek üzere programlandınız ve en büyük sanat, bu mesajı yaratmaktır. Nedir bu mesaj? Mesaj *hayatınızdır*. O mesajla önce kendi hikâyenizi sonra da algıladığınız her şeye dair bir hikâye yaratırsınız. Zihninizde tüm bir sanal gerçeklik kurar ve o gerçeğin içinde yaşarsınız. Düşünmeniz, kendi dilinizdedir; zihninizde sizin için birer anlam taşıyan tüm o sembolleri tekrarlarsınız. Kendinize verdiğiniz bir mesaj vardır ve sizin gerçeğiniz odur çünkü gerçek olduğuna inanırsınız.

Sizin hikâyeniz, hakkınızda bildiklerinizin toplamıdır. Bunu söylerken bilgi olan size hitap ediyorum; *insan* olan, *gerçek* olan size değil, inandığınız *siz kimliğine*. Gördüğünüz gibi, siz ile *siz* arasında bir fark belirtiyorum çünkü sizlerden biri gerçek, öteki ise gerçek değil. Fiziksel insan olan siz hakiki; *siz* gerçeksiniz. Bilgi olan siz, gerçek değil sanalsınız. Varlık nedeniniz sadece ve sadece kendinizle ve diğerleriyle yapmış olduğunuz anlaşmadır. Bilgi olan siz, kafanızda işittiğiniz seslerden, sevdiklerinizin kanaatlerinden, sevmediklerinizin, tanıdığınız ve asla tanışmayacağınız insanların görüşlerinden oluşur.

Kimdir kafanızda konuşup duran? Siz, bunun kendiniz olduğunu varsayarsınız. O halde, konuşan sizseniz, dinleyen kim? Kafanızın içinde konuşan, size ne olduğunuzu söyleyen, bilgiden ibaret olan sizdir, insan *siz* ise, dinleyensiniz. Gerçi, insan *siz* bilginiz olmadan çok önce de vardı. Tüm o sembolleri anlamadan, konuşmayı öğrenmeden çok önce vardınız ve konuşmayı henüz öğrenmemiş her çocuk gibi tamamıyla özgündünüz. Olmadığınız biriymiş gibi davranmıyordunuz. Hiç bilmeden, kendinize güveniniz tamdı, sevginiz tamdı. Bilgiyi almadan, gerçek benliğiniz olmakta özgürdünüz çünkü diğerlerinin tüm o görüş ve hikâyeleri henüz kafanıza girmemişti.

Zihniniz bilgi dolu ama onu nasıl *kullanıyorsunuz?* İş kendinizi tanımlamaya geldiğinde hangi sözleri kullanırsınız? Aynaya bakınca, gördüğünüzden hoşlanıyor musunuz yoksa bedeninizi yargılayıp tüm o sembolleri kendinize yalan söylemekte mi kullanıyorsunuz? Fazla kısa boylu, fazla uzun, fazla şişman ya da zayıf olduğunuz *gerçekten* doğru mu? Güzel olmadığınız *gerçek* mi? Tam olduğunuz gibi mükemmel olmadığınız *gerçekten* doğru mu?

Hakkınızda verdiğiniz tüm hükümleri görebiliyor musunuz? Her hüküm yalnızca bir kanıdır; yalnızca doğduğunuzda orada olmayan bir görüş. Hakkınızdaki düşünceleriniz, kendinize dair inandığınız her şeyin nedeni öğrendiklerinizdir. Kanıları anne, baba, kardeşleriniz ve toplumdan öğrendiniz. Size bir beden nasıl görünmeli konulu imgeler yolladı onlar; sizin hallerinizle, nasıl olmanız *gerektiğiyle* ilgili tüm o fikirleri beyan ettiler. Size bir mesaj verdiler, siz de kabullendiniz. Şimdi, nasıl olduğunuza dair bir sürü fikre sahipsiniz, ancak gerçek bu mu?

Bakın, mesele aslında bilgide değil, bilginin *çarpıtılmış* bir şekline inanmakta-işte *yalan* dediğimiz de budur. Hangisi gerçektir? Hangisi sanal? Farkı görebiliyor musunuz yoksa kafanızdaki her konuştuğunda gerçeği çarpıtan ve inandıklarınızın gerçek şeyler olduğuna sizi temin eden o sese mi inanıyorsunuz? İyi bir insan olmadığınız, asla olamayacağınız *gerçekten* doğru mu? Mutluluğu hak etmediğiniz *gerçekten* doğru mu? Sevilmeye değer olmadığınız *gerçekten* doğru mu?

Bir ağacın artık yalnızca ağaç olmadığı zamanı hatırlar mısınız? Dil öğrendiğinizde ağacı yorumlar, onu tüm bildiklerinize göre yargılarsınız. Ağacın güzel, çirkin, korkunç, harika olması, işte o zamandır. Aynı şeyi kendinize de yaparsınız! Kendinizi bildiğiniz her şeye göre yargılayıp yorumlarsınız. İyi insan, kötü insan, suçlu, deli, güçlü, zayıf, güzel, çirkin böyle olunur. Ne olduğunuza inanırsanız, o olmuşsunuzdur. O halde, ilk soru: "Ne olduğunuza inanıyorsunuz?"

Farkındalığınızı kullanırsanız inandığınız her şeyi görür, böylelikle hayatınızı kurtarırsınız. Yaşamınız tamamen

38

öğrendiğiniz inanç sisteminin yönetimindedir. Her neye inanıyorsanız, yaşadığınız hikâyeyi o yaratır, her neye inanıyorsanız yaşadığınız duyguları o yaratır. Ve gerçekten inandığınız neyse, o olduğunuza inanmak isteyebilirsiniz ama o imge tamamen yanlıştır. *Siz* o değilsiniz.

Gerçek siz benzersiz ve tüm bildiklerinizin ötesindedir çünkü o hakikattir. İnsan olan siz, gerçeksiniz. Bedensel varlığınız gerçektir. Kendinizle ilgili inandıklarınız gerçek değil ve kendinizle ilgili daha iyi bir hikâye yaratmak istemiyorsanız, bunun pek de önemi yok. Gerçek ya da kurgu, yarattığınız hikâye bir sanat eseridir. Harika, şahane bir hikâye ama yalnızca bir hikâye ve sembollerle gerçeğe ne kadar yaklaşılabilirse, o kadar yakın.

Bir sanatçı olarak sanatınızı icra etmenin doğru ya da yanlış bir yolu yoktur; güzellik var ya da yoktur; mutluluk var ya da yoktur. Sanatçı olduğunuza inanıyorsanız, o zaman her şey yeniden mümkün olur. Kelimeler fırçanız, hayat tuvalinizdir. Ne çizmek isterseniz çizersiniz; hatta başka bir sanatçının eserini de kopya edebilirsiniz; ancak kendinizi, tüm gerçekliği, nasıl görüyorsanız fırçanızla onu ifade edersiniz. Yaptığınız, hayatınızın resmidir ve nasıl göründüğü sözü kullanışınıza bağlıdır. Bunu anladığınızda, sözün yaratılışın güçlü bir aracı olduğunu görebilirsiniz. O aracı bilinçle, farkındalıkla kullandığınızda, sözlerle tarih yazabilirsiniz. Ne tarihi? Elbette hayatınızın tarihi, sizin hikâyeniz.

BİRİNCİ ANLAŞMA:
KULLANDIĞINIZ SÖZCÜKLERİ ÖZENLE SEÇİN

Bu da bizi dört anlaşmanın ilki ve en önemlisine ulaştırır: *Kullandığımız sözcüklerde kusursuz olmak.* Sözcükler sizin yaratma gücünüzdür ve bu güç birden fazla yönde kullanılabilir. Bir yön, sözün harika bir hikâyeyi, bu dünyadaki kişisel cennetinizi yarattığı kusursuzluktur. Diğer yön, sözün çevrenizde ne varsa yıkarak kişisel cehenneminizi yarattığı onun kötüye kullanımıdır.

Bir sembol olarak söz, yaratma sihri ve gücüne sahiptir çünkü o hayalinizdeki bir imgeyi, bir fikri, bir duyguyu ya da tüm bir hikâyeyi üretebilir. "At" sözcüğünü sadece işitmek bile zihninizde bütün bir imgeyi yeniden doğurabilir. Bir sembolün gücü böyle bir şeydir, bundan çok daha güçlü de olabilir. Yalnızca *Godfather (Baba)* kelimesiyle zihninizde bir filmin tamamı belirebilir. Sizin sihriniz, yaratma gücünüz budur ve bir sözcükle başlar.

Belki Eski Ahit'te neden "Önce söz vardı ve söz Tanrı ile birlikteydi ve söz Tanrı idi" denildiğini anlıyorsunuzdur. Pek çok dine göre, başlangıçta var olan hiçbir şeydi ve Tanrı'nın ilk yarattığı bir elçiydi, mesaj getiren bir melek. Enformasyonu bir yerden diğerine nakledecek bir şeye duyulan ihtiyacı anlayabilirsiniz. Hiçbir yerden hiçbir yere dersek iş biraz daha karmaşık görünür ama aynı zamanda da basit. Başlangıçta tanrı sözü yarattı ve *söz*'ün kendisi mesajı taşıyandır. O halde, eğer Tanrı mesaj ulaştırmak üzere sözü yarattıysa ve söz aynı zamanda mesaj taşıyan ise, siz de bir elçi ve meleksiniz demektir.

Söz; *hayat, niyet* ya da *Tanrı* adını verdiğimiz bir güç sayesinde vardır. Söz gücün kendisidir, niyettir, işte bu yüzden hangi dili konuşursak konuşalım, niyetimiz sözcükler aracılığıyla ortaya çıkar. Sözler her şeyin yaratılışında çok önemlidir çünkü elçi mesajı vermeye başladığında tüm yaratılış yoktan var olur.

Tanrı ile Âdem'in konuşa konuşa yürümelerini hatırlıyor musunuz? Tanrı gerçeği yaratır, bizler ise onu kelimelerle yeniden yaratırız. Bizim yarattığımız sanal gerçek, gerçeğin bir yansımasıdır; gerçeği kelimeleri kullanarak yorumlamamızdır. Kelam olmadan hiçbir şey var olamaz çünkü bizler, bildiğimiz her şeyi yaratmakta onu kullanırız.

Fark ettiyseniz (farklı ifadelerin tıpatıp aynı anlamı taşıdığını görün diye, bilerek) tüm sembolleri değiştiriyorum. Semboller değişebilir ama anlam tüm dünyadaki farklı geleneklerde aynıdır. Sembollerin ardındaki *niyeti* dinlerseniz, demek istediğimi anlarsınız. Sözün kusursuzluğu son derece önemlidir çünkü o elçidir, yani *siz*siniz. Söz, verdiğiniz mesaja dairdir, sadece çevrenizdeki her şey ve herkese değil, kendinize verdiğiniz mesaja.

Kendinize anlattığınız bir hikâye var ama acaba doğru mu? Yarattığınız hikâyede sözü kendinizi eleştiren ve yargılayan biçimde kullanıyorsanız, o zaman onu kendinize karşı kullanmış olursunuz ve söz doğruluktan çıkar. Sözünüz özenli olduğunda, kendinize, "Ben yaşlıyım, ben çirkinim. Şişmanım. Yeterince başarılı değilim. Yeterince güçlü değilim. Bu hayatta asla kendi ayaklarımın üzerinde duramayacağım" demezsiniz. Bilginizi kendi aleyhinizde kullanmazsınız yani bilgi sesiniz sözü sizi yargılamak, suçlu bulmak ve cezalandırmakta kullanmayacaktır. Zihniniz o denli güçlüdür ki yarattığınız hikâyeyi algılar. Eğer yarattığınız öz-yargı ise, kâbustan başka bir şey olmayan içsel çatışma yaratmışsınızdır.

Mutluluğunuz size bağlıdır ve sözü nasıl kullandığınızla ilintilidir. Eğer birine kızıp ona duygusal zehir yollamakta sözü kullanıyorsanız, dışarıdan sanki sözü ona karşı sarf etmişsiniz gibi görünse de, aslında kendinize karşı kullanmış olursunuz. Bu eylem benzer bir tepki yaratacak ve o kişi size karşı olacaktır. Eğer birine hakaret ederseniz, yanıt olarak size zarar bile verebilir. Sözü bedeninizin yaralanabileceği bir çatışma yaratmakta kullanırsanız, bu elbette aleyhinizedir.

Kullandığın sözcükleri özenle seç, aslında sözün gücünü asla *kendine karşı* kullanma demektir. Sözünüz özenliyse, asla kendinize ihanet etmezsiniz. Kelimeleri asla kendiniz hakkında dedikodu yapmak veya başkalarını çekiştirerek duygusal zehir yaymakta kullanmazsınız. İnsan topluluklarında iletişimin başlıca şekli dedikodudur ve bunu anlaşma yoluyla öğreniriz. Çocukken, büyüklerin dedikodularını işitir, başkalarıyla, hatta hiç tanımadıklarıyla ilgili fikir beyan ettiklerini duyarız. Ama artık görüşlerimizin gerçek olmadıklarının farkındasınız; sadece bakış açısıdır onlar.

Kendi hayat hikâyenizin yaratıcısı olduğunuzu hatırlayın. Sözü doğru kullandığınızda yaratabileceğiniz kendi hikâyenizi düşünün. Sözü kendiniz için gerçek ve sevgi yönünde kullanacaksınız. Her düşüncede, her eylemde, kendinizi tanımladığınız her kelimede, kendi hayat hikâyenizi anlatırken, sözü kullanacaksınız. Peki, sonuç ne olacak? Olağanüstü, harika bir hayat. Bir başka deyişle, mutlu olacaksınız.

Gördüğünüz gibi, söze özen göstermek göründüğünden çok daha derinlere iner. Söz saf sihirdir ve birinci anlaşmayı benimsediğinizde, sihir hayatınıza girer. Niyet ve arzularınız kolay gelir çünkü karşı koyma yoktur, korku yoktur, yalnızca sevgi vardır. Huzurlusunuzdur ve her yönden özgür ve hoşnut bir hayat yaratırsınız. Sadece bu ilk anlaşma bile hayatınızı kişisel cennetinize dönüştürmeye yeter. Daima sözü nasıl kullandığınıza dikkat edin ve *kullandığınız sözcükler kusursuz olsun.*

4

HER ZİHİN BİR ÂLEMDİR

İkinci Anlaşma: Hiçbir Şeyi Kişisel Algılamayın

DOĞDUĞUMUZDA, ZİHNİMİZDE hiç sembol bulunmaz. Ancak beynimiz ve gözlerimizle ışıktan gelen imgeleri yakalarız. Işığı algılamaya başlar, ona aşina oluruz. Beynimizin ışığa tepkisi hayalimizdeki, zihnimizdeki sonsuz ışık oyunlarının imgeleridir. Rüya görürüz. Tolteklere göre, tüm hayatımız bir rüyadır; çünkü biz insanlar günde yirmi dört saat düş görmek üzere programlanmışızdır.

Beyin uyanıkken, nesneleri doğrusal algılamamıza yol açan maddi bir çerçeve vardır, beyin uyurken bu çerçeve olmadığından rüyalar sürekli değişme eğilimindedir. Beyin uyanık haldeyken bile sürekli değişen gündüz düşleri görmeye yatkınızdır. Hayal gücü o denli güçlüdür ki bizi sürekli birçok yere götürür. Başkalarının görmediklerini hayalimizde görürüz, işitmediklerini işitir ya da düş görme şeklimize bağlı olarak işitmeyiz. Hayal gücü gördüğümüz imgelere hareket katsa da, imgeler yalnızca zihinde, rüyada vardır.

Işık, imgeler, düş görme... Şu anda da rüya görüyorsunuz, bunu doğrulamak çok kolay. Belki de zihninizin sürekli rüya gördüğünü hiç fark etmediniz ama bir an hayal gücünüzü kullanırsanız, açıklamaya çalıştıklarımı anlarsınız. Bir aynaya baktığınızı hayal edin. Aynanın içinde bir dünya nesne var ama siz gördüklerinizin asıllarının yansıması olduğunu biliyorsunuz. Gerçek gibi görünüyor. Hakikat gibi görünüyor ama ne gerçek ne de hakikat. Aynanın içindeki nesnelere dokunmaya kalkışırsanız ancak aynanın yüzeyine dokunursunuz.

Aynada gördükleriniz, gerçekliğin yalnızca bir *imgesi*, yani sanal gerçek; bir düş. Ve bu insanların uyanık beyinle gördükleri rüyanın aynısı. Neden? Çünkü aynada gördükleriniz, gözünüzün ve beyninizin kavrama yeteneği sayesinde yarattığınız gerçeğin bir kopyası. O, zihninizde kurduğunuz dünyanın bir imgesi, yani kendi beyninizin gerçeği algıladığı şekil. Bir köpeğin aynı aynada görecekleri, o köpeğin beyninin gerçeği algıladığı şeyler. Bir kartalın aynı aynada görecekleri, kartalın beyninin gerçeği algıladığı biçimde ve sizinkinden farklı.

Şimdi de, ayna yerine gözlerinizin içine baktığınızı hayal edin. Gözleriniz çevrelerindeki milyonlarca nesneden yansıyan ışığı algılamakta. Güneşin tüm dünyadaki nesnelere yolladığı ışığı her nesne yansıtıyor. Milyarlarca ışın her yönden gelip gözünüze giriyor ve gözlerinize nesnelerin imgelerini yansıtıyor. Tüm bu nesneleri gördüğünüzü sanıyor ancak *aslında* yansıyan ışığı görebiliyorsunuz.

Algıladığınız ne varsa, gerçek olanın yansıması, tıpkı aynadaki gibi, ancak bir önemli farkla; aynanın arkasında hiçbir şey yok ama sizin gözlerinizin arkasında her şeye bir anlam vermeye çalışan bir beyin var. Beyniniz algıladığınız her şeyi her sembole sizin yüklediğiniz anlama göre, konuştuğunuz dilin yapısına göre, zihninize programlanmış tüm bilgiye göre yorumluyor. Algıladığınız ne varsa, hepsi sizin inanç sisteminizden filtre ediliyor. Ve algıladığınız her şeyi inandıklarınızın tümünü kullanarak yorumlamanın sonucu, sizin kişisel rüyanız. Tüm bir sanal gerçekliği zihninizde işte böyle yaratıyorsunuz.

Belki de insanlar için algıladıklarını çarpıtmanın ne denli kolay olduğunu artık görüyorsunuzdur. Işık gerçek olanın mükemmel bir imgesini oluşturur ancak biz o imgeyi öğrendiğimiz tüm o sembol ve kanılarla bir hikâye yaratarak çarpıtırız. Onun hakkında hayalimizi kullanarak düş kurarız ve anlaşma gereği, esas gerçek hafızamızda depolanmış tüm o bilgi tarafından daima çarpıtılacak olan gerçeğin *yansıması* iken, rüyamızın mutlak gerçek olduğunu düşünürüz.

Pek çok usta her zihin bir âlemdir demiş, doğru söylemiş. Dışarıda gördüğümüzü sandığımız dünya aslında *içimizdedir*. O yalnızca hayalimizin *imgeleridir*. Bir *rüyadır*. Aralıksız rüya görmekteyiz ve bu asırlardır yalnız Meksika ve Toltekler değil Yunan, Roma, Hint ve Mısır halkları tarafından da biliniyor. Dünyanın dört bir yanında insanlar "Hayat bir rüyadır" demişler. Burada, soru; "Peki bizler bunun farkında mıyız?"

Zihnimizin sürekli düş gördüğünün farkında değilsek, kişisel rüyamızdaki çarpıtmalar için, bize hayatta acı veren şeyler için dışımızda kalan her şey ve herkesi suçlamak çok kolaydır. Biz sanatçılar, yarattığımız bir düşte yaşadığımızın bilincinde olunca, evrilme yolunda dev bir adım atmış oluyoruz çünkü artık yaratılışımızın sorumluluğunu alabiliriz. Zihnimizin sürekli düş gördüğünü fark etmekle, (düşümüzden zevk almıyorsak) onu değiştirmenin anahtarını elimizde tutmuş oluruz.

Hayat hikâyenizin düşünü gören kim? Sizsiniz. Eğer hayatınızdan, kendinize dair inançlarınızdan hoşlanmıyorsanız, onları değiştirebilecek tek insan sizsiniz. O sizin dünyanız, sizin rüyanız. Rüyanızdan zevk mi alıyorsunuz, harika. O zaman her bir anın tadını çıkartmaya devam edin. Eğer rüyanız kâbusa dönmüşse, dram ve ıstırap varsa ve yaratılandan zevk almıyorsanız, değiştirebilirsiniz. Bu dünyada farklı bakış açıları olan milyonlarca farklı hayalcinin yazdığı milyonlarca kitap olduğunun eminim farkındasınız. Sizin hikâyeniz en az o kitaplar kadar, hatta daha da ilginç çünkü sürekli değişim içinde. On yaşındayken gördüğünüz düşle on beş, yirmi, otuz, kırk yaşlarında gördüğünüz düş çok farklı.

Bugünkü rüyanızdaki hikâye dünkü, hatta yarım saat öncekinden farklı. Hikâyenizden her söz edişinizde, kiminle konuştuğunuza, o anki fiziksel ve duygusal halinize, o zamanki inançlarınıza bağlı olarak değişir. Aynı hikâyeyi anlatmaya çalışsanız dahi hikâyeniz hep değişmektedir. Belli bir noktada, onun bir hikâyeden başka bir şey olmadığını öğrenirsiniz. O gerçek değil, sanal gerçektir. Bir düşten başkası değildir. Ve paylaşılan bir düştür, zira tüm insanlar aynı anda düş görür. İnsanlığın ortak rüyası, *gezegenimizin rüyası*, siz doğmadan da vardı. Kendi sanatınızı, kendi hikâyenizi yaratmayı böyle öğrendiniz.

İKİNCİ ANLAŞMA:
HİÇBİR ŞEYİ KİŞİSEL ALGILAMAYIN

Birlikte bir düş yaratmak için, onun düş olduğunu bile bile, gelin hayal gücümüzün potansiyelini kullanalım. Yüzlerce sinema salonu bulunan dev bir alışveriş merkezinde olduğunuzu hayal edin. Ne oynadığını görmek için etrafa bakınıyorsunuz ve içinde adınızın bulunduğu bir film fark ediyorsunuz. İnanılmaz! Sinema salonuna giriyorsunuz, bir kişi dışında salon bomboş. Sessizce, bölmemeye özen göstererek, sizi fark bile etmeyip tüm dikkatini filme vermiş olan o seyircinin yanına oturuyorsunuz.

Ekrana bakıyorsunuz, o ne, sürpriz! Filmdeki tüm karakterleri tanıyorsunuz: anneniz, babanız, kardeşleriniz, aşkınız, çocuklarınız, arkadaşlarınız. Sonra filmin başrol oyuncusunu görüyorsunuz; a, bu sizsiniz! Filmin yıldızı sizsiniz ve bu sizin hikâyeniz. Şu yanınızda oturan seyirci de, filmdeki oyununu izleyen sizsiniz. Başkarakter, elbette tıpkı tam sizin kendinizi gördüğünüz gibi, diğer karakterler de öyle çünkü sizin hikâyenizi bilen de sizsiniz. Bir süre sonra tanık olduğunuz şeyler biraz fazla üzerinize gelir gibi oluyor ve başka bir filme gitmeye karar veriyorsunuz.

Bu sinemada da sadece bir seyirci var, o da yanına oturduğunuzu fark etmiyor bile. Filmi izlemeye başlıyorsunuz ve yine tüm karakterler tanıdık ama şimdi siz ikinci derecede bir roldesiniz. Bu, annenizin hayat hikâyesi, tüm dikkatiyle filmi izleyen de o. Sonra annenizin sizin filminizdeki anne karakteriyle aynı olmadığını görüyorsunuz. Onun kendisini yansıtma biçimi, kendi filminde tamamen farklı. Anneniz, herkesin algılamasını istediği şekilde yansıtıyor kendisini. Siz bunun sahici olmadığını biliyorsunuz. Rol yapıyor o. Ama sonra bunun onun *kendisini* algılama biçimi olduğunu fark etmeniz, size bir tür şok oluyor.

Derken, sizin çehrenizi taşıyan kişinin sizin filminizdeki insan olmadığını görüyorsunuz. Kendi kendinize, "A, bu ben değilim!" diyorsunuz ama şimdi annenizin sizi nasıl algıladığını, sizinle ilgili inançlarını görebiliyorsunuz ve bunların kendinize dair inançlarınızla alakası yok! Sonra, babanızın karakterini, annenizin onu algıladığı şekliyle görüyorsunuz, onun da sizin algıladığınız babayla ilgisi yok, tamamen çarpıtılmış, tıpkı annenizin tüm diğer karakterleri algılaması gibi. Bir de annenizin sevgilinizi algılama biçimini görünce, azıcık içerliyorsunuz. "Bu ne cüret!" diyerek salondan çıkıyorsunuz.

Bir sonraki sinema salonunda ise sevdiğiniz insanın hikâyesi oynuyor. Şimdi de sevgilinin sizi algılama biçimini görebilirsiniz ve bu karakter sizin ve annenizin filmlerinde oynayanlardan tamamen farklı. Sevdiğiniz insanın çocuklarınızı, ailenizi, arkadaşlarınızı algılama biçimini görebiliyorsunuz. Sevgilinin kendisini yansıttığı hali sizin sevgiliyi algıladığınız hal hiç değil. Sonra o filmden de çıkmaya karar veriyorsunuz ve çocuklarınızın filmine gidiyorsunuz. Çocuklarınızın sizi, Büyükanne ve Büyükbabayı nasıl gördüklerine inanamıyorsunuz. Sonra kardeşlerinizin, arkadaşlarınızın filmlerini izliyorsunuz ve herkesin kendi filmindeki karakterleri çarpıttığını görüyorsunuz.

Tüm bu filmleri izledikten sonra kendi filminizi izlemek üzere ilk sinema salonuna dönmeye karar veriyorsunuz. Kendi filminizde oynayan size bakıp artık seyrettiğiniz hiçbir şeye inanmıyorsunuz; kendi hikâyenize bile inanmıyorsunuz çünkü onun bir hikâyeden ibaret olduğunu anlıyorsunuz. Artık tüm hayatınız boyunca oynadığınız o rolün aslında boş olduğunu çünkü hiç kimsenin sizi algılanmak istediğiniz biçimde algılamadığını fark ediyorsunuz. Çevrenizdekilerin sizin filminizde olup biten tüm dramların farkında bile olmadıklarını görebiliyorsunuz.

Besbelli, herkesin dikkati kendi filmine odaklanmış durumda. Kendi sinema salonlarında, yanı başlarına oturduğunuzu görmemişler bile! Karakterlerin tüm dikkati kendi filmlerine yoğunlaşmış ve yaşadıkları tek hakikat o. Dikkatleri kendi yaratılarına öylesine takılmış ki, filmi izleyen kendi varlıklarının bile farkında değiller.

O anda, sizin için her şey değişiyor. Hiçbir şey eskisi gibi değil çünkü artık olup biteni anlamış durumdasınız. İnsanlar kendi dünyalarında, kendi filmlerinde, kendi hikâyelerinde yaşarlar. Tüm inançlarının yatırımını o hikâyeye yapmışlardır ve o hikâye onlara göre gerçektir. Ancak görece bir gerçektir çünkü size göre gerçek o değildir. Şimdi sizinle ilgili tüm görüşlerin sizin değil, onların filmindeki karaktere dair olduğunu görebilirsiniz. Sizin adınıza yargıladıkları, kendi yaratmış oldukları bir karakterdir. İnsanların hakkınızda düşündükleri ne varsa, aslında onlardaki siz *imgesi* üzerine kuruludur; o imge siz değilsiniz.

Bu noktada, en çok sevdiklerinizin aslında sizi tanımadıkları ve sizin de onları tanımadığınız açıktır. Onlara dair tek bildiğiniz, onlarla ilgili inançlarınız. Sadece onlar için yarattığınız imgeyi tanıyorsunuz ve o imgenin gerçek insanlarla alakası yok. Ana babanızı, eşinizi, çocuklarınızı, arkadaşlarınızı çok iyi tanıdığınızı sanıyordunuz. Gerçek o ki, onların yaşamlarında olup bitenlerden, ne düşündüklerinden, ne hissettiklerinden, hayallerinden bihabersiniz. Daha da şaşırtıcı olan, *kendinizi* tanıdığınızı sanmış olmanız! O zaman kendinizi bile tanımadığınız sonucuna varıyorsunuz. Öyle uzun zamandır rol yapıyorsunuz ki, olmadığınız biriymiş gibi davranmanın ustası olmuşsunuz.

Bu farkındalıkla, "Sevdiğim insan beni anlamıyor. Kimse beni anlamıyor" demenin saçmalığını anlıyorsunuz. Tabii anlamazlar. Siz bile kendinizi anlamıyorsunuz ki. Kişiliğiniz bir andan diğerine, oynadığınız role göre, hikâyenizdeki yardımcı rol karakterlerine göre, o an kurduğunuz hayallere göre değişiyor. Evde belli bir kişiliğiniz var. İşteki kişiliğiniz tamamen farklı. Kadın arkadaşlarınızla bir türlüsünüz, erkek arkadaşlarınızla başka türlü. Oysa tüm yaşantınız boyunca başkalarının sizi gayet iyi tanıdığını varsaydınız ve onlar beklentilerinize göre davranmadıklarında, bunu kişisel algılayıp kızgınlıkla tepki verdiniz ve sözü yok yere bir sürü dram ve uyuşmazlık yaratmakta kullandınız.

Şimdi, insanlar arasında neden bunca uyuşmazlık olduğunu anlamak daha kolay. Dünya kendi düşünü gören, başkalarının kendi âlemlerinde, kendi hayalleriyle yaşadığının farkında olmayan milyarlarca insanla dolu. Başkarakterin bakış açısından ki, bu onun yegâne bakış açısı, her şey onunla ilgili. Yardımcı karakterler onun bakış açısına uymayan bir şey söylediklerinde, kızarak konumunu savunmaya kalkışır. Yardımcı karakterlerin kendi istediği gibi olmasını arzu eder, eğer değillerse çok kırılır. *Her şeyi* kişisel algılar. Bunu idrak edince, çözümü de anlamanız mümkün; çözüm son derece basit ve mantıklı: *Hiçbir şeyi kişisel algılamayın...*

İkinci anlaşmanın anlamı artık tam bir açıklığa kavuşmuş durumda. Bu anlaşma size hikâyenizdeki yardımcı karakterlerle etkileşiminizde bağışıklık kazandırır. Başkalarının bakış açısını kendinize dert etmenize gerek kalmadı. Bir kez başkalarının söylediklerinin ya da yaptıklarının sizinle ilgisi olmadığını görebildiğinizde, kimin hakkınızda dedikodu yaptığı, kimin sizi suçladığı, kimin dışladığı önemini kaybeder. Dedikodular sizi etkilemez olur. Kendi görüşünüzü savunmaya zahmet bile etmezsiniz. Köpeklerin havlamasına izin verirsiniz, onlar da ha bire havlar. Varsın havlasınlar, ne çıkar? İnsanların sözleri sizi etkilemez çünkü onların görüşleri ve duygusal zehirlerine bağışıklığınız vardır. Gerek başkalarını incitmek için dedikoduyu kullanan, gerekse kendilerini incitmek için başkalarını kullanmak isteyen parazitlere bağışıklık kazanmışsınızdır.

Hiçbir şeyi kişisel algılamamak, kendi türünüzle insan insana etkileşiminizde nefis bir araçtır. Ayrıca, bireysel özgürlüğe alınmış bir bilettir de çünkü artık hayatınızı başkalarının fikirlerine göre yönetmek zorunda değilsinizdir. Bu, insanı gerçekten özgür kılar! Canınızın istediğini (yaptığınızın sizden başka kimseyi ilgilendirmeyeceğini bilerek) yaparsınız. Sizin hikâyenizle ilgilenecek tek kişi, sadece sizsiniz. Bu farkındalık her şeyi değiştirir. Kendini tanıma ustalığında ilk adımın gerçeğin bilincinde olmak olduğunu aklınızdan çıkartmayın ki şu an yaptığınız tam da budur. Gerçek size hatırlatılıyor.

Bu gerçeği artık anladığınıza göre, bir şeyleri üzerinize alınmanız mümkün mü? Tüm insanların kendi âlemlerinde, kendi filmlerinde, kendi düşlerinde yaşadıklarını bir kez anladığınızda, ikinci anlaşma saf sağduyudur: *Hiçbir şeyi kişisel algılamayın.*

5

HAKİKAT Mİ, KURGU MU?

Üçüncü Anlaşma:
Varsayımda Bulunmayın

ASIRLAR HATTA BİN ASIRLAR BOYU, insanlar zihinde iyi ile kötü arasında bir uzlaşmazlık olduğuna inandılar. Oysa bu doğru değildir. Gerçek uzlaşmazlık, hakikatle yalan arasındakidir. İyi ile kötü yalnızca o uzlaşmazlığın sonucudur. Belki de *tüm* uzlaşmazlıkların yalanların sonucu olduklarını söyleyebiliriz çünkü hakikatin içinde hiç uzlaşmazlık bulunmaz. Yalanlar ancak biz onları yarattığımız sürece vardır ve ancak onlara inandığımız sürece yaşarlar. Yalanlar, sözün çarpıtılması, mesajın anlamının çarpıtılmasıdır ve bu çarpıtma insan zihni denen yansımanın içindedir. Yalanlar, gerçek değil, bizim yaratımızdırlar. Ancak, zihnimizin sanal gerçekliğinde onları gerçek yapan da bizleriz.

Ben yeniyetme iken, bu basit gerçeği dedem bana anlatmıştı ama onu sahiden anlamam yıllar sürdü çünkü sürekli "Hakikati nasıl bilebiliriz?" diye düşünüyordum. Sembollerin hakikate dair söylenecek hiç sözleri olmadığı halde, ben hakikati anlamak için sembolleri kullanıyordum. Hakikat, insanlar sembolleri yaratmazdan çok önce vardı.

Sanatçılar olarak, bizler onu daima sembollerle çarpıtmaktayız ama asıl sorun o değil. Daha önce söylediğimiz gibi, sorun o çarpıklığa *inandığımızda* ortaya çıkar çünkü kimi yalanlar masum, kimileri ise ölümcüldür. Sözü bir *iskemle* hakkında bir hikâye, bir *batıl inanç* yaratmakta nasıl kullanabileceğimizi bir düşünelim. İskemle hakkında neler biliyoruz? İskemlenin metal, ahşap ya da kumaştan yapılmış olduğunu söyleyebiliriz ama sembolleri sadece bir bakış açısı ifade etmek için kullanıyoruz. Gerçekte, o nesnenin ne olduğunu tam bilmiyoruz. Ama sözü çevremizdekilere ve kendimize bir mesaj iletmek için tüm otoritesiyle kullanabiliriz: "Ne çirkin bu iskemle. Nefret ediyorum ondan."

Burada mesaj zaten çarpıtılmış ama bu daha başlangıç. Bu aptal bir iskemle ve oturanı da aptala çevirir, diye düşünebiliriz. Bence o iskemleyi yok etmemiz gerek çünkü biri oturduğunda kırılırsa, insan düşüp kalçasını kırabilir. Evet, bu iskemle kötü! Ona karşı öyle bir kanun çıkartalım ki herkes onun toplum için bir tehlike oluşturduğunu bilsin. Bundan böyle o kötü iskemleye yaklaşmak yasak!

Verdiğimiz mesaj bu ise, onu alan ve mesajla hemfikir olan her kimse, bu kötü sandalyeden korkmaya başlar. Kısa süre sonra, ondan o kadar korkulur ki, insanlar iskemle kâbusları görmeye başlarlar. Bu kötü iskemle saplantı haline gelir ve elbette iskemle onları yok etmeden onların iskemleyi yok etmesi gerekecektir.

Sözün yapabileceklerini görüyor musunuz? İskemle sadece bir nesne. Hakikat ise onun varlığı. Ama hakkında yarattığımız hikâye gerçek değil; boş inanç, çarpıtılmış bir mesaj ve bir yalan. Yalana inanmadığımız sürece sorun yok. O yalana inanıp bir de onu başkalarına dayatırsak, işte bu, bizim kişisel gücümüze bağlı olarak *kötülük* dediğimiz şeye yol açabilir. Kimisi, dünyayı milyonların öldüğü büyük savaşlara sürükleyebilir. Dünyada, yalanlara inandıkları için başka ülkeleri işgal edip halklarını yok eden zalim hükümdarlar bile vardır.

Şimdi doğanın geri kalanında mevcut olmayan, sadece *insan zihni*, yani sanal gerçeklikte var olan uyuşmazlığın nedenini anlayabiliriz. Kafalarında bütün sembolleri çarpıtan ve çarpık mesajlar veren milyarlarca insan var. İnsanlığın başına gelen de aslında bu. Kanımca, bütün savaşların, haksızlık ve istismarın, insanların dünyasındaki *cehennem* denilen düşün varlık nedeninin yanıtı budur. Cehennem yalan dolu bir düşten başka bir şey değildir.

Düşümüzün inandıklarımız tarafından kontrol edildiğini hatırlayın. İnandıklarımız gerçek de olabilir kurgu da. Gerçek bizi sahiciliğimize, samimiyete, mutluluğa götürür. Yalanlar, hayatımızdaki kısıtlamalara, acı ve dramlara götürür. Kim gerçeğe inanıyorsa, cennette yaşar. Kim yalanlara inanırsa, er geç cehennemde yaşayacaktır. Cennet ya da cehenneme gitmek için ölmeyi beklememize gerek yok. Tıpkı cehennem gibi, cennet de çevremizde. Cennet bir bakış açısı, bir zihinsel durum; cehennem de öyle. Yalanların kafamızdaki her gölgeyi idare ettikleri besbellidir. İnsan yalanı yaratır ve sonra yalan insanı kontrol eder. Ama er geç gerçek gelince, yalanlar onun varlığında yaşayamaz.

Asırlar önce, insanlar dünyanın düz olduğuna inanırlardı. Bazıları yerküreyi bir filin taşıdığına inanır, böylelikle kendilerini emniyette hissederlerdi. "İyi, artık dünyanın düz olduğunu biliyoruz." İyi hoş, ama şimdi de olmadığını biliyoruz. Dünyanın düz olduğu inancı hakikat kabul edilirken, herkes bu konuda mutabıktı. Ama bu onu gerçek yapıyor muydu?

Şimdilerde işittiğimiz en büyük yalanlardan biri, "Hiç kimse mükemmel değildir." Davranışlarımız için bu iyi bir mazeret doğrusu ve herkes bu konuda hemfikir. Peki, ama doğru mu? Tam aksine, dünyadaki herkes mükemmel oysa. Çocukluğumuzdan beri bu yalanı işitiriz, dolayısıyla kendimizi bir kusursuzluk imgesine karşı yargılayıp dururuz. Sürekli mükemmelliği ararken, evrende insanlardan başka her şeyin mükemmel olduğunu öğreniriz. Güneş mükemmel, yıldızlar, gezegenler mükemmel ama iş insanlığa gelince, "Hiç kimse mükemmel değildir." Gerçek o ki, yaratılışta insanlar dahil, her şey mükemmeldir.

Bu gerçeği idrak etmiyorsak, nedeni yalanların getirdiği körlüktür. "Peki ya bedensel engelli birisi kusursuz mudur?" diye sorabilirsiniz. Sizin bilginize göre, kusurlu olabilir ama bakalım bildikleriniz hakikat mi? *Engelli* ya da *rahatsız* diye nitelediklerimizin mükemmel olmadığını kim söylemiş?

Engelli veya rahatsız olmak dahil, insana dair her şey mükemmeldir. Öğrenme yetersizliği olan, doğuştan bir parmağı, kolu ya da kulağı eksik, hasta olan herkes mükemmeldir. Var olan sadece kusursuzluktur ve bunun idraki, evrimimizde bir başka önemli adımdır. Aksini söylemek, ne olduğumuzun farkında olmamaktır. Mükemmeliz demek de yetmez; öyle olduğumuza *inanmamız* gerekir. Kusurlu olduğumuza inanıyorsak, bu yalan kendini destekleyecek başka yalanları da toplar ve hep birlikte hakikati bastırıp kendimiz için yarattığımız rüyayı yönetirler. Yalanlar, boş inançlardan başka bir şey değildir ve sizi temin ederim ki yaşadığımız, bir boş inançlar dünyasıdır. Ancak, acaba bunun farkında mıyız?

Şu an sahip olduğunuz bilgiler ve inançlarla, yarın sabah on dördüncü yüzyıl Avrupa'sında uyandığınızı hayal edin. O çağ insanının hakkınızda neler düşüneceğini, sizi ne biçimde yargılayacağını bir hayal edin. Her gün duş yaptığınız için sizi mahkemeye çıkartabilirler. İnandığınız ne varsa, onların inançlarına birer tehdit oluşturacaktır. Sizi cadılıkla itham etmelerine ne kadar kalmıştır acaba? İşkence edip cadı olduğunuzu itiraf ettirebilir, sonunda da inançlarınızdan korkup öldürebilirle sizi. O çağ insanının batıl inançlarla dolu bir hayat sürdüğünü kolayca görebilirsiniz. İnandıkları hemen hiçbir şeyin gerçekle ilgisi yoktu, bunu bugün inandıklarınız sayesinde kolayca görebiliyorsunuz. Ama onlar kendi batıl inançlarının farkında değillerdi. Kendi yaşam tarzları son derece normal geliyordu, zira başka bir şey öğrenmediklerinden daha iyisini bilmiyorlardı.

O halde, belki kendinizle ilgili inançlarınız da o eski insanlarınkiler kadar batıl inançlarla doludur. Bundan yedi sekiz asır sonra yaşayacak insanların, bizlerin kendi hakkımızdaki inançlarımızı gördüklerini bir düşünün. Çoğumuzun kendi bedeniyle kurduğu ilişki, bundan yedi yüz yıl öncesindeki kadar olmasa da, oldukça barbarca. Bedenimiz bize tamamen sadık olduğu halde, onu yargılar, istismar ederiz; o bizim müttefikimiz olduğu halde düşman muamelesi yaparız. Televizyon, filmler, moda dergileri gibi medyada gördüğümüz imajlar doğrultusunda hepimiz çekici olmaya önem veriyoruz. Bu imgelere göre yeterince çekici olmadığımıza inanıyorsak eğer, bir yalana inanıyor ve sözü, hakikati kendi aleyhimize kullanıyoruz demektir.

Medyayı kontrol edenler, neye inanacağımızı, nasıl giyineceğimizi, ne yiyeceğimizi söyleyerek bizleri kukla gibi, yani istedikleri şekilde manipüle ederler. Birinden nefret etmemizi mi istiyorlar? Hemen etrafa bir dedikodu yayarlar ve yalanların büyüsü iş başına geçer. Kukla olmayı bıraktığımız zaman, hayatımızın yalanlar ve boş inançlar tarafından yönetilmiş olduğu apaçık ortaya çıkar. Gelecek zamanda insanların boş inançlarımız hakkında neler düşünebileceklerini hayal edin. İnsanlar dahil, yaratılmış her şeyin mükemmelliğine inandıkları için, onları çarmıha mı gererdi?

Yalan ve gerçek nedir? Farkındalığın önemini tekrarlıyorum çünkü gerçek, kelimeler ve bilgiyle gelmez. Oysa mevcut milyarlarca yalan, gelir. İnsanların farkında olmadıkları için inandıkları öyle çok yalan vardır ki. Gerçeği ya görmezden gelir ya da hiç görmeyiz. Evcilleştirildiğimizde, biriktirdiğimiz onca bilgi, bizim gerçekten *olanı*, hakikati algılamamızı engelleyen sisten bir duvar gibidir. Ancak görmeyi istediklerimizi görür; duymak istediklerimizi işitiriz. İnanç sistemimiz, tıpkı bize inandıklarımızı gösteren bir aynaya benzer.

Hayatımız boyunca gelişmemiz sürerken öyle çok yalan öğreniriz ki yalanlarımızın yapıları iyice karmaşıklaşır. Üstelik onu *düşündüğümüz* ve düşüncelerimize *inandığımız* için, daha da karmaşık hale getiririz. Mutlak gerçek olduğuna inandığımız varsayımlarda bulunur, gerçeğimizin görece, sanal bir gerçek olduğunu asla durup düşünmeyiz. Genellikle herhangi bir gerçekle uzaktan yakından ilgisi yoktur ama farkındalığımız olmaksızın gerçeğe bundan daha fazla yaklaşamayız.

ÜÇÜNCÜ ANLAŞMA:
VARSAYIMDA BULUNMAYIN

Bununla üçüncü anlaşmaya geliyoruz: *Varsayımda bulunmayın.* Varsayımlar başa bela açar, zira çoğu gerçek değil, kurgudur. Büyük varsayımlarımızdan birisi, sanal gerçekliğimizde ne varsa, tümünü hakikat sanmaktır. Bir diğeri ise, başkalarının sanal gerçekliği dahilindeki tüm varsayımların hakikat olduğudur. Pekâlâ, hiçbir sanal gerçekliğin hakikat olmadığını artık biliyorsunuz!

Farkındalığımızı kullanarak, yaptığımız tüm varsayımları kolayca görür, varsayım yapmanın ne kadar kolay olduğunu anlarız. Biz insanların çok kuvvetli hayal güçleri ve hayalini kurabileceğimiz bir sürü fikir ve hikâye vardır. Kafamızda konuşan sembolleri dinleriz. Başkalarının ne yaptığını, ne düşündüğünü, hakkımızda neler söylediğini hayal eder, kafamızda bir şeyler kurmaya başlarız. Sadece bizim için gerçek olan koca bir hikâye uydurur, ona yalnızca biz inanırız. Bir varsayım diğerine yol açar, bunlardan sonuçlar çıkarırız ve hikâyemizi son derece kişisel alırız. Sonra, başkalarını suçlar, kendi varsayımlarımızı haklı çıkartma çabasıyla genellikle dedikoduya başvururuz. Elbette, dedikodu çarpık bir mesajı iyice çarpıtır.

Varsayımlarda bulunarak onları kişisel olarak üzerimize almak, bu dünyadaki cehennemin başlangıç noktasıdır. Hemen tüm uyuşmazlıklarımız buna dayalıdır, nedenini anlamak ise zor değildir. Varsayımlar kendimize söylediğimiz yalanlardan başka bir şey değildir. Bu da boş yere büyük dramlar yaratır çünkü doğru olup olmadığını bilmediğimiz bir şey söz konusudur. Varsayımda bulunmak, ortada olup biten bir dram yokken, onu aramaktır. Başka birinin hikâyesinde bir dram cereyan ediyorsa, ne olmuş yani? O sizin değil, bir başkasının hikâyesi zaten.

Kendinize anlattığınız ne varsa, neredeyse hepsinin birer varsayım olduğuna dikkat! Bir ebeveyn iseniz, çocuklarınız hakkında varsayım yapmanın ne kadar kolay olduğunu bilirsiniz. Gece yarısı olmuş, dansa giden çocuğunuz henüz eve gelmemiştir. Onun bu saatte artık dönmüş olacağını sanıyordunuz. En kötüsünü hayal etmeye başlarsınız; varsayım yaparsınız: "Ya başına bir şey geldiyse? Belki polisi arasam iyi olur." Hayal edebileceğiniz o kadar çok şey vardır ki, sonunda kafanızda bir sürü felaket olasılığı yaratırsınız. On dakika sonra kızınız ağzı kulaklarında eve döner. Gerçek size ulaşıp da bütün yalanlar çözülünce, birden boş yere kendinize işkence çektirmiş olduğunuzu fark edersiniz. *Varsayımda bulunmayın.*

Hiçbir şeyi kişisel algılamamak, size başkalarıyla ilişkilerinizde bağışıklık sağlıyorsa, varsayım yapmamak da kendinizle, bilgi sesinizle ya da *düşünce* dediğimiz şeyle olan ilişkinizde bağışıklık sağlar. Varsayımda bulunmak, düşünmenin ta kendisidir. Çok fazla düşünüyoruz, bu da varsayımlara yol açıyor. "Ya...olursa?" düşüncesi bile hayatımızda büyük dramlara yol açabilir. Her insanın düşünme yetisi vardır ve fazla düşünce korku getirir. Bütün o düşünceler, kafamızda çarpıttığımız semboller üzerinde hiçbir denetimimiz yoktur. Düşünmeye bir son verirsek, kendimize bir şeyleri açıklamaya da son vermiş oluruz ki bu da bizi varsayımda bulunmaktan alıkoyar.

İnsanların her şeyi açıklama ve doğrulama gibi bir ihtiyaçları vardır; bilgiye ihtiyaç duyarız ve bu *bilme* ihtiyacımızı tatmin etmek için varsayım yaparız. Bilginin asılsız ya da gerçek olup olmadığına pek aldırış etmeyiz. Gerçek ya da kurgu, neye inanıyorsak, yüzde yüz inanır, inanmayı sürdürürüz çünkü sadece bilgi sahibi olmak bile bize güven hissi verir. Zihnin açıklayamadığı o kadar çok şey, yanıt bekleyen o kadar çok sorumuz vardır ki. Ama bilmediğimizde soru sormak yerine, türlü türlü varsayımlarda bulunuruz. Varsayım yapmayı ancak soru sormakla bırakabiliriz. Sormak ve açıklık getirmek daima daha iyidir.

Varsayımda bulunmadığımızda, dikkatimizi neyin hakikat olduğuna dair *düşüncemize* değil, hakikate odaklayabiliriz. O zaman hayatı görmek istediğimiz gibi değil, olduğu gibi görürüz. İleride göreceğimiz gibi, kendi varsayımlarımıza inanmadığımızda, inancımızın onlara yatırdığımız gücü bize geri döner. Varsayımlara bağladığımız tüm o enerjiyi geri kazandığımızda, onu yeni bir düşü, şahsi cennetimizi yaratmakta kullanabiliriz. *Varsayımda bulunmayın.*

6

İNANCIN GÜCÜ
Noel Baba Sembolü

HAYATINIZDA, İNANCINIZIN GÜCÜNE tamamen sahip olduğunuz bir dönem olmuştu ancak insanlığın bir parçası olmak üzere eğitildiğinizde, inancınızın tüm gücü öğrendiğiniz o sembollere gitti ve belli bir noktada semboller üzerinizde güç sahibi oldular. Aslında, inancınızın gücü bildiğiniz *her şeye* ulaştı ve o zamandan bu yana bildikleriniz hayatınızı yönetir oldu. Çocukken, başkalarının inançlarının gücünün bizi alt ettiği aşikârdır. Semboller harika bir icat ama onlarla tanıştırıldığımızda, bir takım sembol ve görüşler önceden oraya yerleşmişlerdir bile. Her kanıyı hakikat olup olmadığına bakmaksızın içimize alırız. Ve sorun şu ki, yetişkin olma sürecimizde edindiğimiz kanılarla birlikte bir dilin ustası olduğumuzda, semboller inancımız üzerinde güç kurmuşlardır bile.

Bu, iyi ya da kötü, yanlış ya da doğru değildir. Böyle olur bu iş, hepimizin başına gelmiştir. Toplumumuzun bir üyesi olmayı öğreniyoruzdur. Bir dili öğreniriz, bir din ya da felsefeyi; var oluş biçimini öğrenir, bize söylenen ne varsa tüm o inanç sistemimizi onun üzerine inşa ederiz. Söyledikleri bir şeyin doğru olmadığını anlamamızla kalbimiz ilk kez kırılıncaya kadar, insanların bize söylediklerinden kuşku bile duymayız.

Okula gideriz, daha büyük çocukların bizi işaret ederek, "Şu çocuğu görüyor musun? İşte o hâlâ Noel Baba hikâyesine inanıyor" dediklerini duyarız. Er geç Noel Baba diye bir şey olmadığını öğreniriz. Onun gerçek olmadığını keşfettiğinizde neler *hissettiğinizi* hatırlıyor musunuz? Ana babanızın kötü niyetli olduğunu sanmam. Noel Baba'ya inanmak milyonlarca kişi için harika bir gelenektir. *Noel Baba* adıyla bildiğimiz sembolle ilgili söylenenleri özetleyen şöyle bir şarkı sözü vardır: "Gözünü dört aç, sakın ağlama, suratını da asma, neden dersen, Noel Baba şehre geliyor!" Noel Baba'nın ne yapıp yapmadığımızı bildiğini söylerler bize, ne zaman uslu ne zaman yaramaz olduğumuzu bilir, dişimizi ne zaman fırçalamadığımızı bile bilir. Biz de bunlara *inanırız*.

Noel gelir, çocuklara verilen hediyelerin birbirlerinden çok farklı olduklarını görürüz. Diyelim ki siz Noel Baba'dan bir bisiklet istediniz ve yıl boyunca iyi çocuk oldunuz. Aileniz yoksul. Armağanlarınızı açıyorsunuz, bisiklet falan yok. Komşunun o yaramaz çocuğuna ise (ki yaramaz ne demek çok iyi bilirsiniz) bir bisiklet gelmiş. "Ben uslu durdum, bu çocuk sürekli yaramazlık yaptı. Nasıl oldu da bisikleti bana getirmedi? Noel Baba benim her yaptığımı biliyorsa, komşu çocuğun yaptıklarını da bilir mutlaka. Neden bisikleti bana değil de o çocuğa getirdi peki?"

Bu tamamen haksızlıktır, nedenini anlamazsınız. Duygusal tepkiniz kızgınlık, kıskançlık hatta hüzündür. O çocuğu her zamankinden daha şımarık bir halde, etrafta bisikletiyle mutluluk içinde dolanırken görür, gidip onu dövmek ya da bisikletini parçalamak istersiniz. *Haksızlık*. O haksızlık duygusunun nedeni bir yalana inanmış olmanızdır. Masum bir yalan, hiç kötü niyet içermez elbet ama *inanmışsınız* ona bir kere. Ve kendinizle bir anlaşma yaparsınız: "Bundan böyle iyi çocuk olmayacağım. Komşum gibi kötü olacağım." Daha sonra, Noel Baba'nın da gerçek olmadığını keşfedersiniz. Ama iş işten geçmiştir. Duygusal zehrinizi akıtmışsınızdır bile; kızgınlığın, kıskançlığın, hüznün verdiği acıyı çekmişsinizdir; yalan temelli bir anlaşma yapmanın acısını çekmişsinizdir artık.

Bu, inancımızı bir sembole nasıl bağladığımızın sadece bir örneğidir. Buna benzer yüzlerce hatta binlerce sembol, hikâye, batıl inanç öğrenmişizdir. Noel Baba sembolü, masum bir yalana inanmanın bile içimizde nasıl ateş gibi yanan duygular uyandırdığına bir örnek. Zehir gibi gelir, canımızı acıtır bu duygular, bedenimizi acıtırlar ve gerçek olmayan bir hikâye ıstırap çektirir bize. Duygular sahicidir; hakikatin bir parçasıdır onlar ama hissetme nedenimiz gerçek değildir. Gerçek değil, kurgudur.

Kendinizi neden zaman zaman berbat hissettiğinizi soruyorsanız, kendinize doğru olmayan bir hikâye anlatıp sonra da ona inanmanızdır. Gerçek o ki düşünüz çarpıtılmıştır. Bu, ne iyi ne de kötü bir şey, dünyada milyarlarca insanın başına geliyor çünkü. Bu durumda olan sadece siz değilsiniz, işte bu iyi haber.

Semboller dünyası son derece güçlü çünkü içimizde, derinlerde bir yerden gelen *hayat, inanç* ya da *niyet* dediğimiz o kuvvetle her sembolü güçlü yapan bizleriz. Böyle olduğunun farkında bile değiliz ama semboller birleşerek anlaşmalardan oluşan ve bizim *inanç sistemi* adını verdiğimiz bir yapıyı meydana getirirler. Tek bir kelimeden bir hikâyeye, tek hikâyeden tüm bir felsefeye, inanmakta anlaştığımız ne varsa o yapıya dahil olur.

İnanç sistemi sanal gerçekliğimizi biçimlendirendir ve yaptığımız her anlaşma ile bir tuğla bina kadar katılaşana dek, kuvvetlenip güç kazanır. Her sembolü, her kavramı, her anlaşmayı birer tuğla olarak hayal edersek, inancımız da tuğlaları bir arada tutan çimentodur. Hayatımız boyunca öğrenmeyi sürdürürken, sembolleri pek çok yönde karıştırdığımızdan, kavramlar kendi aralarında etkileşime geçerek daha da karmaşık hale gelirler. Soyut zihin daha karmaşık biçimde organize olur ve bu yapı, bizler bildiğimiz her şeyin bütünselliğini elde edene kadar büyür de büyür.

Toltekler bu yapıya *insan formu* adını verirler. İnsan formu maddi bedenin değil zihnin aldığı şekildir. Kendimize dair inançlarımızın, düşümüzü anlamlı kılmamıza yardımcı olan her şeyin yapısıdır. Bize kimliğimizi veren, insan formudur ama düşümüzün çatısıyla aynı değildir. Düşümüzün çatısı, olduğu haliyle maddi dünya yani hakikattir. İnsan formu, yargılamanın tüm öğeleri ile inanç sistemidir. O inanç sistemindeki her şey bizim kişisel hakikatimizdir ve biz her şeyi, ruhsal doğamıza aykırı bile olsa, o inançlara göre yargılarız.

Evcilleşme sürecinde, inanç sistemi hayatımızı yöneten yasa kitabı haline gelir. Kendi yasa kitabımızdaki kuralları izlediğimizde, kendimize aferin der, uymadığımız zaman da ceza veririz. İnanç sistemi hem zihnimizin başyargıcı olur hem de baş kurbanı çünkü önce yargılar sonra da cezalandırır bizi. Baş yargıç sembollerden oluşmuştur ve algıladığımız, semboller dahil her şeyi, yargılamak üzere yine sembolleri kullanır! Kurban ise yargının hükmünü alan ve cezayı çeken yanımızdır. Ve dışarıdaki düş ile etkileşim kurduğumuzda herkesi ve her şeyi kendi kişisel yasa kitabımıza göre yargılayıp cezalandırırız.

Baş yargıç elbette işinde çok başarılıdır çünkü zaten tüm o yasalarla hemfikirizdir. Sorun, inanç sisteminin bizimle birlikte can bulması ve kendi bilgimizi bize karşı kullanmasıdır. Hayatımızı nasıl yaşamamız gerektiğine dair, insan adlı kurbanı nasıl cezalandıracağına dair tüm kuralları kullanır. Kendimizi yargılamayı, dışlamayı, suçlamayı ve utancımızı yaratmak için bizim dilimizi kullanır o. Bizi sözel olarak taciz eder ve kişisel şeytanlarımızla hayal ettiğimiz cehennemi yaratarak bizi perişan eder. Ayrıca, aynı şeyi söylemek için kullanabileceğimiz öyle çok sembol vardır ki.

İnanç sistemi, insan hayatına zorba bir hükümdar gibi hükmeder. Özgürlüğümüzü elimizden alıp bizi kölesi yapar. Sahici bile değilken, *gerçek* biz, yani insan hayatı üzerinde baskı kurar. Gerçek biz zihnin bir köşesinde saklanmışken, o noktada zihni kontrol eden, bildiğimiz ve inanmayı kabul ettiğimiz her şeydir. Çok güzel ve mükemmel olan insan bedeni tüm yargılanma ve cezanın kurbanı haline gelir; zihnin kendini yansıttığı ve eyleme geçtiği bir araç olmaktan öteye geçemez.

İnanç sistemi zihnin âlemindedir, onu ne görür ne de ölçebiliriz, ancak var olduğunu biliriz. Belki de bilmediğimiz, yalnızca biz yarattığımız için varlığını sürdüren bir yapı olduğudur. Yarattığımız, tamamıyla bize bağlanmıştır, nereye gidersek peşimizden gelir. O kadar uzun zamandır böyle yaşıyoruzdur ki bu yapı dahilinde yaşadığımızın farkında bile değiliz. Ve zihin, gerçek değil sanal da olsa, *tüm güç*tür çünkü onu yaratan da hayattır.

Farkındalıkta ustalaşmak, kendimizin, yaratımızın canlı olduğunun bilincine varmaktır. Bir harfin çıkarttığı ses gibi en minimalinden tüm bir felsefeye inançlarımızın her biri hayatta kalmak için bizim canımızı kullanır. Zihnimizin işleyişini görebilseydik, milyonlarca yaşam türünü ve ona verdiğimiz inanç gücümüz ve tüm dikkatimizle, oluşumumuza can verdiğimizi görürdük. Tüm yapıyı ayakta tutmak için yaşam gücümüzü kullanıyoruz. Biz olmasak, bu fikirler de var olamaz; biz olmasak yapının tamamı çöker.

Hayal gücümüzü kullandığımızda, "kişisel masal"ımızın, inanç sistemimizin, inancımızı yalanlara bağlayışımızın inşasını görebiliriz. Tüm o yapılanma sürecince, o öğrenme boyunca, diğer kavramlarla çelişen öyle çok kavram, inşa ettiğimiz öyle çok düş vardır ki, öyle çok yapı yaratırız ki, bunlar birbiriyle ters düşüp sözümüzün gücünü iptal ederler. O anda, sözümüz hiç para etmez çünkü aksi yönlere hareket eden iki güç varsa, sonuç sıfırdır. Tek yöne giden bir güç varsa, onun kuvveti muazzamdır ve sadece sözümüz tüm inancımızın gücünü taşıdığı için niyetlerimiz yalnızca ağzımızdan çıkan sözle vücut bulur.

Çocukken öğrendiğimiz hemen her şeye inancımızı bağlarız. İşte kendi hayatımız üzerindeki gücü böyle kaybederiz. Büyüdüğümüzde, inancımız öyle çok yalana bağlanmıştır ki, arzu ettiğimiz düşü yaratacak neredeyse hiç gücümüz kalmamıştır. İnanç sistemi, imanımızın tüm gücüne sahiptir ve denklemin sonunda, elde kalan neredeyse sıfır güç, sıfır imandır. İmanımızı Noel Baba gibi bir sembole nasıl bağladığımızı görmek pek zor değilse de, her sembol, her hikâye ve kendimize dair öğrendiğimiz her kanaat, her şey hakkında aynı şeyi söyleyemeyiz.

Kanımca bunu anlamak çok önemlidir ve anlamanın tek yolu da ne yaptığımızın farkında olmaktır. Kişisel gücümüzü inandığımız her şeye bağladığımız bilincine sahipsek ancak, gücümüzü sembollerden geri almak kolaylaşır ve semboller artık üzerimizde güç sahibi olamazlar. Her sembolden gücü kaldırırsak, semboller sembolden öte bir şey olamazlar. Nihayet onları yaratana, yani *gerçek* bize itaat ederek *gerçek* amaçlarına hizmet ederler: İletişim kurmak için kullanabileceğimiz bir araç olmak.

Noel Baba'nın hakikat olmadığını keşfettiğimizde, artık ona inanmayız ve bu sembole bağladığımız güç bize geri döner. İşte Noel Baba'ya inanma anlaşmasını yapanın da kendimiz olduğunu o zaman anlarız. Bu farkındalığı yeniden kurunca sembolojinin tamamına inanmayı kabul edenin de kendimiz olduğunu görebiliriz. İmanını her sembole teslim eden biz isek, o gücü geri alabilecek olan da ancak ve ancak biziz demektir.

Bu bilince sahipsek, sanırım inandığımız her şey üzerindeki gücü geri alıp kendi yaratımızın kontrolünü asla bir daha kaybetmeyiz. İmanımız inanç sistemine değil de kendimize ise, o gücün kaynağından kuşkumuz kalmaz ve artık yapıyı sökmeye başlayabiliriz.

71

İnanç sistemimizin yapısı ortadan kalkınca son derece esnekleşiriz. Yaratmak istediğimiz ne varsa yaratabiliriz; yapmak istediğimiz ne varsa yaparız. Neye inanmak istiyorsak, imanımızı ona bağlarız. Tercih bizimdir. Acı çekmemize yol açtığını bildiğimiz şeylere artık inanmazsak, sihirliymişçesine, çekilen acı da kaybolur. Üstelik fazla düşünmemize de gerek yok, bize eylem gerek. Farkı yaratacak olan eylemdir.

7

USTALIK UYGULAMAYLA GELİR
Dördüncü Anlaşma:
Daima Yapabildiğinin En İyisini Yap

HAYATINIZI DEĞİŞTİRMEYE HAZIR OLUNCA, anlaşmalarınızı değiştirmeye hazır olunca, en önemlisi farkındalıktır. Neyi sevip neyi sevmediğinizin farkında değilseniz, anlaşmalarınızı değiştiremezsiniz. Neyi değiştireceğinizin farkında olmadan nasıl değişiklik yapabilirsiniz? Ancak bu, farkında olmaktan öte bir şey. Farkı yaratacak olan uygulamadır; farkında olabilirsiniz ancak bu hayatınızın değişeceği anlamına gelmez. Değişim eylem sonucudur. Ustalaşmanın yolu uygulamadan geçer.

Öğrendiğiniz ne varsa, tekrar ve uygulama sayesinde öğrenmişsinizdir. Konuşmayı, yürümeyi, hatta yazmayı bile tekrarlarla öğrendiniz. Pratik yaptığınız için konuştuğunuz dilde ustalaştınız. Hayatınızı yöneten tüm inançları da aynı yolla öğrendiniz: Uygulayarak. Şu anki yaşam biçiminiz yıllar süren uygulamaların sonucudur.

Bütün hayatınız boyunca, şu an neyseniz o olmak üzere her an pratik yaptınız. Kendiliğinden olana kadar uygulamadınız. Yeni bir uygulamaya başladığınızda, ne olduğunuza dair inancınızı değiştirdiğinizde, tüm hayatınız değişecektir. Kullandığınız sözcükleri özenle seçmeye çalışırsanız, hiçbir şeyi kişisel algılamazsanız, varsayımda bulunmazsanız, sizi cehennem düşünde esir almış olan binlerce anlaşmayı bozarsınız. Pek yakında inanmayı kabul ettikleriniz, sandığınız "ben" imgesinin değil, sahici sizin seçiminiz olacaktır.

Harika bir hayat yaratmak için ihtiyacınız olan tek şey, sözlerinizi özenle seçmek, yani birinci anlaşmadır. O sizi ta cennete kadar götürecektir ama bu anlaşma için desteğe ihtiyacınız olabilir. Hiçbir şeyi kişisel algılamadığınızda, varsayım yapmadığınızda, sözlerinizi özenle seçmenin daha kolay olduğunu tahmin edebilirsiniz. Varsayımda bulunmayınca, hiçbir şeyi kişisel algılamamak da bunun tersi de kolaylaşır. Hiçbir şeyi kişisel algılamamak ve varsayım yapmamakla, ilk anlaşmayı desteklersiniz.

İlk üç anlaşmayı uygulamak zor, hatta imkânsız bile gelebilir. İnanın bana, hiç imkânsız değil. Ama zor olduğunu kabul ediyorum çünkü aslında yaptığımız, bunun tam aksi. Hayatımız boyunca kafamızın içindeki sesi dinlemeyi biliriz. Ancak bir de dördüncü anlaşma var ki, o kolay. Her şeyi mümkün kılan, işte bu anlaşma: *Daima yapabildiğinin en iyisini yap.* Elinizden geleni yaparsınız, olur biter. Ne az ne fazla; sadece yapabileceğinizin en iyisi. Yapıverin. Eyleme geçin. Eyleme geçmeden en iyisi yapılamaz ki.

Daima yapabildiğinin en iyisini yap, herkese uygun bir anlaşma. En iyisi, zaten yapabileceğiniz tek şey. Ve en iyi bazen yüzde seksen, bazen yüzde yirmi vermek anlamına gelmez. Sürekli yüzde yüz verirsiniz; niyetiniz budur. Sadece "en iyi"niz sürekli değişir. Bir andan ötekine, asla aynı olmazsınız. Canlısınız, devamlı değişiyorsunuz, en iyisi diye nitelendirip yaptığınız da bir andan diğerine değişir.

Yapabildiğinizin en iyisi, bedenen yorgun ya da enerjik hissetmenize bağlı olacaktır, zaman içinde değişerek Dört Anlaşma uygulamanız alışkanlık haline gelince, "elimden gelen en iyi şey" dedikleriniz de gelişecektir.

Dördüncü anlaşma, ilk üç anlaşmanın kökleri derinde alışkanlıklar haline gelmelerine imkân verir. Uygulama ve tekrar sizi usta yapacaktır ama bu anlaşmalarda hemen ustalaşmayı beklemeyin. Her zaman kusursuz sözcükleri özenle seçmeyi ya da hiçbir şeyi kişisel algılamamayı veya varsayımda bulunmamayı kendinizden beklemeyin. Alışkanlıklarınız sımsıkı köklerle zihninize tutunur. Sadece yapabileceğinizin en iyisini yapın.

Anlaşmalardan birini tutmayı başaramazsanız, yenileyin. Yarın yeniden başlayın ve ertesi gün tekrar. Sürekli uygulayın. Her gün daha kolay gelecek. Yapabileceğinizin en iyisini yapmanızın sonucunda, sözleri özenle seçmemek, olayları kişisel algılamak ve varsayımda bulunmak zamanla zayıflayıp seyrekleşecektir. Alışkanlıklarınızı değiştirmek için harekete geçerseniz, böyle olacaktır.

Nihayet dört anlaşmanın da alışkanlık olduğu bir an gelecektir. O zaman, denemeyeceksiniz bile. Kendiliğinden olacak. Gayret etmeden. Bir gün gelecek, hayatınızı Dört Anlaşma ile yönettiğinizi keşfedeceksiniz. Bu anlaşmaların alışkanlık olduğu bir hayat hayal edebiliyor musunuz? Uyuşmazlık ve dramlarla uğraşmak yerine, çok kolay bir yaşantınız olacak!

Her durumda bir şey yaratacaksanız, düşlemekten kaçınamıyorsanız, o halde neden en güzel düşleri yaratmayasınız? Zihniniz varsa, ışığı algılıyorsanız, düş kuracaksınız demektir. Hiçbir şey yaratmama kararı aldınızsa eğer, sıkılacaksınız ve baş yargıç sıkılmaya karşı koyacak, elbette sizi inandıklarınıza göre yargılayacaktır. "Aman ne tembelsin. Hayatını değerlendirmen lazım." O zaman, en iyisi iyi bir düş kurup o düşten iyice zevk almaktır. Madem kısıtlanmış olduğunuza inanıyorsunuz, o halde içinizden akan güzellik ve güce neden inanmayasınız?

Hayat bize her şeyi sunar ve her şey zevk olabilir. Hayatın cömertliğine neden inanmayalım? Kendimize cömert ve nazik davranmayı neden öğrenmeyelim? Sizi mutlu eden buysa, çevrenizdeki herkese iyi davranıyorsanız, neden olmasın? Sürekli dönüşüm içindeyseniz, değişmesini istemediğiniz halde, düşünüz değişiyorsa, neden bu dönüşümde ustalaşıp kendi kişisel cennetinizi yaratmayasınız? Hayatınızın düşü, binlerce dinamik hayalden oluşur. Hayaller doğar, büyür ve ölürler, demek ki sürekli dönüşüm içindedirler. Ama çoğunlukla siz farkında olmadan dönüşürler. Düş kurduğunuzun bir kez farkına vardığınızda, seçtiğiniz her noktada düşünüzü değiştirme gücünü yeniden kazanırsınız. Cennet düşünü yaratacak güce sahip olduğunuzu keşfettiğinizde, mevcut hayalinizi değiştirmek istersiniz ve Dört Anlaşma bunun için mükemmel bir araçtır. Bu anlaşmalar kafanızın içindeki zorbaya, yargıca ve kurbana; hayatınızı zorlaştıran tüm o küçük anlaşmalara meydan okurlar.

Ve inançlarınıza, kendinize onların gerçek olup olmadıklarını sorarak meydan okuduğunuzda, son derece ilginç bir şey keşfedebilirsiniz: Hayatınız boyunca hep başkaları için iyi olmaya çalışıp kendinizi en sona bırakmış olduğunuzu... Kişisel özgürlüğünüzü bir başkasının bakış açısına uymak için feda ettiğinizi... Anneniz, babanız, öğretmenleriniz, sevdiğiniz insan, çocuklarınız, dininiz ve toplum ölçülerinde iyi olmaya çalıştığınızı... Onca yıl sonra, bir de kendi gözünüzde yeterince iyi olmaya çalıştığınızda ise, *kendi gözünüzde* yeterince iyi olmadığınızı anlarsınız.

Belki de hayatınızda ilk kez, kendinizi neden sıranın başına koymayasınız? Kendinizi koşulsuzca kabul ederek, sevmeyi yeni baştan öğrenebilirsiniz. Sahici, koşulsuz sevgi yansıtmakla işe başlayabilirsiniz. Sonra da sahici benliğinizi giderek daha çok sevmeyi uygulamaya koyun. Kendinizi koşulsuz sevdiğinizde, artık hayatınızı kontrol etmek isteyen bir yırtıcıya kolay kolay yem olmazsınız. Kendinizi kimse için feda etmezsiniz. Kendinizi sevmeyi sürekli uyguladığınızda, bunun ustası olursunuz.

Daima yapabildiğinin en iyisini yap, sizi usta bir sanatçı yapma anlaşmasıdır. İlk üç anlaşma sanal gerçeklik âlemindedir. Dördüncü anlaşma, maddi âlemdedir. Onun esası, siz bir düş ustası olana kadar, sürekli uygulama yapmaktır. Daima elinizden gelenin en iyisini yaparak, nihayet dönüşüm sanatında usta olacaksınız. Sanatçı ikinci olarak dönüşümde ustalaşır ki bunu dördüncü anlaşmada açıkça görebilirsiniz. Yapabileceğinizin en iyisini yaptığınızda, eyleme geçiyorsunuz, kendinizi dönüştürüyorsunuz, hayatınızın düşünü değiştiriyorsunuz.

İkinci ustalığın hedefi, inandığınızla yüzleşmek ve inandığınızı dönüştürmektir. Ustalaşmak, anlaşmalarınızı değiştirmek ve kendi zihninizi kendi bildiğiniz gibi yeniden programlamaktır. İstenilen sonuç, inanç sisteminin değil de kendinize ait olan hayatı yaşamaktır. O yasa kitabı artık zihninizden çıktığında, zorba, yargıç ve kurban da onunla birlikte gider.

Dönüşüm başlamıştır bile, daima sizinle başlar. Kendinize tamamen dürüst olacak, hikâyenizi nasıl yazdığınızla ilgili gerçeği görecek cesaretiniz var mı? Batıl inançlarınızla yalanlarınızı görecek cesaretiniz var mı? Olduğunuzu sandığınız neyse, onu gözden geçirecek cesarete sahip misiniz, yoksa görmek istemediğiniz kadar çok yaranız mı var? Belki de "Bilmem ki" diye düşünüyorsunuz. Ama meydan okumayı kabullenerek. Düşünüzü dönüştürüyorsunuz, bunun şu anda meydana gelmesinin nedeni ise, eskiden öğrendiğiniz tüm yalanları kafanızdan çıkartmanız.

Dört Anlaşma *dönüşümde ustalaşmak*tır aslında, dönüşümde ustalaşmak ise daha önce öğrendiklerinizi hafızadan silme sürecidir. Anlaşma yaparak öğrenir, anlaşmayı bozarak öğrendiklerinizi silersiniz. Anlaşmayı her bozduğunuzda, o anlaşmaya verdiğiniz iman gücü size geri döner zira artık onu canlı tutmak için enerjinizi harcamanıza gerek yoktur.

Küçük ve daha az enerji gerektiren bir anlaşmayı bozarak başlarsınız. Öğrenilenleri sildikçe, bilgi yapınızı sökmeye başlarsınız. Böylelikle imanınız özgür kalır. İmanınızı geri kazandığınızda, kişisel gücünüz artar, iradeniz güçlenir. Bu da size bir diğer anlaşmayı bozma gücü verir, sonra öteki ve diğerleri. Kişisel gücünüz giderek artarken, hemen her şeyin mümkün olduğunu görürsünüz. Kısa süre sonra bir bakarsınız, mutluluk, coşku ve sevginin kapılarını açan anlaşmalar yapmaktasınız. Derken bu anlaşmalar da canlanarak dış dünya ile etkileşime geçer ve tüm düşünüz değişir.

Şu anda yaptığınız gibi, öğrenmeyi tersine çevirince, işe inandıklarınızla yüzleşmekle başlarsınız. İnandıklarınızla nasıl yüzleşeceksiniz? Bunun için elinizdeki tek gereç kuşkudur. Kuşku bir semboldür tabii, demek ki çok güçlüdür. Kuşkunun gücüyle alıp verdiğiniz her mesajı sorgularsınız. Yasa kitabınızdaki her inanca meydan okursunuz. Sonra toplumu yöneten tüm inançları sorgularsınız ta ki dünyanızı kontrol eden tüm yalan ve boş inançların büyüsü bozulana kadar. Kısım II'de göreceğiniz gibi, beşinci anlaşma size kuşkunun gücünü sunacaktır.

Kısım II

KUŞKUNUN GÜCÜ

8

KUŞKUNUN GÜCÜ
Beşinci Anlaşma:
Kuşkucu Ol Ama Dinlemeyi De Bil

BEŞİNCİ ANLAŞMA 'Kuşkucu Ol Ama Dinlemeyi De Bil'dir. *Kuşkucu ol* çünkü duyduklarının çoğu doğru değil. İnsanların sembollerle konuştuklarını ve bu sembollerin hakikat olmadığını biliyorsunuz. Semboller ancak bizler mutabık olduğumuz sürece hakikattirler, *gerçekten* hakikat olduklarından değil. Ama anlaşmanın ikinci kısmı çok basit bir nedenle *dinlemeyi bil*: Dinlemeyi öğrendiğinizde insanların kullandıkları sembollerin manasını, hikâyelerini anlarsınız ve iletişim büyük ölçüde düzelir. Sonra belki, bu dünyada yaşayan tüm insanlar arasındaki kargaşa gider, yerine berraklık hâkim olur.

Semboller aracılığıyla bildiğiniz ne varsa hemen hepsinin asılsız olduğunu fark ettiğinizde, *kuşkucu ol* çok daha geniş bir anlam kazanır. *Kuşkucu ol*'daki ustalık kuşkunun gücünü hakikati ayırt etmekte kullanmasıdır. Kendinizden ya da bir başka sanatçıdan bir mesaj aldığınızda, sadece şunu sorun; *Bu hakikat mi, değil mi? Gerçek mi, sanal mı?* Kuşku sizi sembollerin ardına götürerek alıp verdiğiniz her mesajdan sizi sorumlu tutar. İmanınızı doğru olmayan bir mesaja bağlamak niye? Kuşkunuz sayesinde her mesaja inanmamış olursunuz; sembollere bağlanmazsınız ve imanınız sembollere bağlı değilse, kendi içinizdedir.

Sonra, eğer iman kuşkusuzca inanmaksa ve kuşku inanmamaksa o halde *kuşkucu olun. İnanmayın.* Peki, neye inanmayacaksınız? Hani biz sanatçıların bilgimizle yarattığımız tüm o hikâyeler var ya, işte onlara. Çoğu bilgimizin doğru olmadığını biliyorsunuz- tüm semboloji asılsız; o halde; *bana inanma, kendine inanma, başka kimseye de inanma.* Hakikatin senin inanmana ihtiyacı yok; o yalnızca var ve sen inansan da inanmasan da yaşayacak. Yalanlar ise, onlara inanmanıza ihtiyaç duyarlar. Yalanlara inanmazsanız, kuşkularınız karşısında tutunamayıp öylece kaybolurlar.

Ancak kuşkuculuk iki türlü olabilir. Biri, safdil olmayacak kadar akıllı olduğunuzu sandığınız için kuşku duyarmış gibi yapmaktır. "Bakın ne akıllıyım. Hiçbir şeye inanmam

84

ben." Kuşkuculuk bu değildir. Kuşkuculuk duyduklarınızın hepsine inanmamaktır. İnanmama nedeniniz de hakikat olmayışıdır; o kadar. Kuşkucu olmanın yolu yalnızca tüm insanlığın yalanlara inandığının bilincinde olmaktır. Biz insanların düş gördüğümüz için hakikati çarpıttığımızı ve düşlerimizin hakikatin ancak bir yansıması olduğunu biliyorsunuz.

Her sanatçı hakikati çarpıtır ama başkasının sözlerini yargılamak ya da o kimseye yalancı demek zorunda değilsiniz. Hepimiz bir şekilde yalan söyleriz ama yalancı olduğumuzdan değil. Nedeni inandığımız şeyler, öğrendiğimiz tüm o semboller ve onları uygulama biçimimiz. Bir kez bunun bilincine vardığınızda, beşinci anlaşma anlam kazanır ve hayatınızda büyük bir fark yaratabilir.

İnsanlar size gelip kişisel hikâyelerini anlatırlar. Kendi bakış açılarını, gerçek olduğuna inandıkları şeyleri anlatırlar. Ama siz bunları hakikat ya da değil şeklinde yargılamazsınız. Yargınız değil saygınız vardır. Tüm sözlerinin inançları tarafından çarpıtıldığını bile bile, insanların sembollerini ifade şekillerini dinlersiniz. Size anlattıklarının birer hikâyeden ibaret olduğunu, hissettiğiniz için bilirsiniz. *Bilirsiniz* işte. Ama aynı zamanda hakikatten kaynaklanan sözleri de bilirsiniz; sözler olmaksızın bilirsiniz bunu. İşte asıl konu budur.

Gerçek ya da kurgu, hiç kimsenin hikâyesine inanmak zorunda değilsiniz. Birinin söylediklerine dair bir kanaat oluşturmak zorunda değilsiniz. Kendi görüşünüzü de ifade etmek zorunda değilsiniz. Hak vermek ya da vermemek durumunda da değilsiniz. Sadece *dinleyin*. Kişinin sözü ne kadar özenle seçilmişse, mesajı da o kadar nettir ama bir başka sanatçıdan gelen sözlerin sizinle hiç ilgisi yoktur. Ortada kişisel hiçbir şey olmadığını bilirsiniz. Dinler, tüm kelimeleri anlarsınız ama artık kelimeler sizi etkilemez. Başkalarının dediklerini artık yargılamazsınız çünkü ne yaptıklarını anlıyorsunuzdur. Sizin sadece sanal dünyalarında olanları bilmenize izin veriyorlardır.

Tüm sanatçıların kendi düşlerinde, kendi dünyalarında yaşadıklarına dair bir farkındalığınız zaten vardır. O dünyada algıladıkları her ne ise onlara göre hakikattir ve hikâyelerini ifade eden sanatçılar için bu mutlak hakikat olabilir ama sizin için değildir. Size göre tek hakikat kendi dünyanızda algıladıklarınızdır. Bu farkındalıkla, kimseye kanıtlanacak bir şey yoktur. Konu haklı ya da haksız olmak değildir. Birinin sözlerine saygı duyarsınız çünkü konuşan başka bir sanatçıdır. Saygı önemlidir. Dinlemeyi öğrendiğinizde, diğer sanatçılara saygı göstermiş olursunuz; onların sanatına da kendi yarattıkları için saygı gösterirsiniz.

Tüm sanatçıların, sanatlarını canlarının istediği gibi yaratmaya hakları vardır. Neye inanmak isterlerse inanmaya, ne söylemek isterlerse söylemeye hakları vardır ama siz dinlemeyi öğrenmemişseniz ne dediklerini asla öğrenemezsiniz. Dinlemek iletişimde son derece önemlidir. Dinlemeyi öğrendiğinizde insanların ne istediklerini tam olarak bilirsiniz. Bir kez ne istediklerini bilince, o bilgiyi nasıl kullanacağınız size kalmıştır. Sözlerine tepki verir ya da vermez, hemfikir olur ya da olmazsınız; bu *sizin* ne istediğinize bağlıdır.

Biri bir şey istedi diye ona istediğini hemen vermek zorunda değilsiniz. İnsanlar daima sizin dikkatinizi çekmeye çalışırlar çünkü dikkat ve ilgi sayesinde her istedikleri bilgiyi indirebilirler. Çoğu zaman o bilgi size lazım değildir. Dinlersiniz, istemezseniz görmezden gelip rotanızı değiştiriverirsiniz. Ama eğer dikkatiniz bilgiye takılırsa, o zaman gerçekten kişinin sözlerinin sizin için önemli olup olmadığını keşfetmek için dinlemeyi istersiniz. Sonra, bakış açınızı, onun yalnızca bir bakış açısı olduğunu bilerek paylaşabilirsiniz. Orada seçim sizin, anahtar ise *dinlemek*tir.

Dinlemeyi öğrenmediyseniz, şu anda sizinle paylaştıklarımı asla anlayamazsınız. Hemen bir sonuç çıkartıp sizin düşünüz olmadığı halde öyleymiş gibi davranırsınız. Diğer sanatçılar düşlerini sizinle paylaşıyorlarsa, bunun *onların* düşü olduğunun farkında olun. Kendi düşünüzün ne olup ne olmadığını siz bilirsiniz.

Şu anda, dünyayı algılama biçimimi, düş kurma biçimimi sizlerle paylaşıyorum ve hikâyelerim benim hakikatim ama onların *gerçekte* hakikat olmadıklarını biliyorum. O yüzden, bana inanmayın. Size ne söylüyorsam, hepsi kendi bakış açım. Tabii ki, kendi açımdan sizinle hakikati paylaşıyorum. Söylediklerimi anlayın diye, en doğru kelimeleri kullanmak için elimden geleni yapıyorum ancak hakikatin tam bir kopyasını sizinle paylaşsam bile, mesajım benim zihnimden sizinkine geçer geçmez onu çarpıtacağınızı biliyorum. Mesajımı işitecek ve aynı mesajı kendinize bambaşka biçimde, tamamen *kendi* bakış açınızdan anlatacaksınız.

O zaman, belki de söylediklerim hakikat ya da hakikat değil, belki de sizin inandıklarınız hakikat değil. Ben mesajın yalnızca bir yarısıyım, siz de diğer yarısı. Ben söylediklerimden sorumluyum ama sizin ne anladığınızdan sorumlu değilim. Siz kendi anladığınızdan, kafanızın içinde duyduklarınızdan sorumlusunuz çünkü işittiğiniz her kelimeye anlam yükleyen sizsiniz.

Şu anda benim sözlerimi kişisel bilginize göre yorumlamaktasınız. Sembolleri yeniden yerleştirip onları sizin inanç sisteminizdeki her şeyle bir dengeye gelmek üzere dönüştürüyorsunuz. O dengeyi bir kez elde ettiğinizde, benim hikâyemi hakikat olarak kabul eder ya da etmezsiniz. Ve kendinize söylediklerinizin benim söylemeye niyet ettiklerim olduğuna dair bir varsayım yapabilirsiniz, ancak varsayımınız doğru olmayabilir. Sözlerimi yanlış yorumlayabilirsiniz. İşittiklerinizi beni, kendinizi, dininizi ya da felsefenizi suçlamakta, herkese özellikle de kendinize kızmakta kullanabilirsiniz. Duyduklarınızı; hakikati ve kendinizi bulmak, kendinizle barış yapmak, belki de kendinize taşıdığınız mesajı değiştirmekte kullanabilirsiniz.

Sözlerimle ne yapacağınız size kalmış. Düş sizin, düşünüze saygı duyarım. Bana inanmak zorunda değilsiniz ama dinlemeyi öğrenirseniz ne dediğimi anlarsınız ve sizinle paylaştığım bilgiler aklınıza yatarsa, arzu ederseniz, onları düşünüzün parçası yapabilirsiniz. Size ne iyi geliyorsa alıp düşünüzü kuvvetlendirmekte kullanabilir, işinize yaramayanı görmezden gelirsiniz. Bana hiç fark etmez ama size edebilir çünkü onun varsayım olduğunu bile bile daha iyi bir sanatçı olmak istediğiniz ve bu yüzden inançlarınızı sorguladığınız varsayımını yapan benim.

O zaman, *kuşkucu* olun. Bana inanmayın, kimselere inanmayın, özellikle de kendinize inanmayın. Aman Tanrım! *Kendinize inanmayın* sözünün ima ettiklerini görüyor musunuz? Öğrendiğin her şeye inanma! Kendinize inanmamak müthiş bir avantaj çünkü öğrendiklerinizin çoğu hakikat değildir. Bildiğiniz her şey, tüm gerçeklik, sembollerden öte bir şey değil. Ama siz o kafanızda konuşup duran semboller de değilsiniz. İşte bunu bildiğiniz için kuşku duyuyor ve kendinize inanmıyorsunuz.

İnançlarınız size, "Şişmanım. Çirkinim. Yaşlıyım. Eziğim. Yeterli değilim. Asla başaramayacağım" diyorsa, kendinize inanmayın çünkü bunlar doğru değil. Bu mesajlar çarpıtılmıştır. Yalandan başka bir şey değildirler. Yalanları bir kez görürseniz, onlara inanmak zorunda kalmazsınız. Kendinize verdiğiniz her mesaja meydan okumak için kuşkunun gücünü kullanın. "Çirkin olduğum *sahiden* doğru mu? Yeterli olmadığım *sahiden* doğru mu?" Bu mesaj gerçek mi, sanal mı? Elbette sanal. Bu mesajların hiçbiri hakikatten, hayattan gelmiyor. Bilgimizdeki çarpıklıklardan geliyor. Hakikat şu ki, çirkin insan yoktur. İyiliği ya da gücü yeterli olmak ya da olmamak diye bir şey yoktur. Bu yargıların gerçek olduğu evrensel bir yasa kitabı yoktur. Bu yargılar yalnızca insanların anlaşmalarıdır.

Kendinize inanmanın sonuçlarını görebiliyor musunuz? Kendinize inanmak yapabileceğiniz en zor şeylerden biri çünkü kendinize hayat boyu yalan söylemişsiniz ve o yalanlara inandığınız için düşleriniz hoş değil. Kendinize anlattıklarınıza inanırsanız, kendinizi incitmek üzere öğrendiğiniz tüm o sembolleri kullanabilirsiniz. Kişisel düşünüz saf cehennem dahi olabilir çünkü cehenneminizi yalanlara inanarak yaratırsınız. Eğer ıstırap çekiyorsanız, başkası size çektirdiğinden değil, kafanıza hükmeden zorbaya boyun eğdiğiniz içindir. Zorba size boyun eğdiği zaman zihninizde yargıç ya da kurban kalmaz, artık ıstırap çekmezsiniz.

Zorbanız fütursuzdur. Tüm o sembolleri size karşı kullanarak sizi taciz eder. Olumsuz düşüncelerden kaynaklanan duygusal zehirle beslenir ve bu zehri içinizde üretme biçimi yargılama ve fikir verme yoluyla olur. Hiç kimse sizi kendiniz kadar yargılamaz. Elbette yargılanmaktan, suçluluktan, dışlanmaktan, cezalandırılmaktan kaçabilirsiniz. Ama kendi düşüncelerinizden kaçmak mümkün mü? Birisinden hoşlanmazsanız çeker gidersiniz. Oysa kendinizden hoşlanmıyorsanız nereye giderseniz gidin hâlâ oradadır.

Herkesten saklanabilir kendi yargılarınızdan saklanamazsınız. Kaçış yolu yoktur sanki.

İşte bu yüzden birçok insan aşırı yemek yiyor, uyuşturucu kullanıyor, aşırı alkol alıyor ve belirli madde ve davranışların bağımlısı oluyor. Kendi hikâyelerinden, kafalarındaki tüm o sembolleri çarpıtan kendi yaratılışlarından kaçmak için ellerinden geleni yapıyorlar. Bazı insanlar öyle çok duygusal ıstırap çekerler ki sonunda kendi canlarına kıyarlar. İşte yalanların herhangi birimize yapabilecekleri! Bilginin sesi o kadar çarpıklaşabilir ve öyle çok bireysel nefret yaratabilir ki, insanı öldürür. Ve hepsi de yıllar boyu öğrendiğimiz onca bilgi yüzünden.

Hem sizin hem başkalarının tüm kanılarının içinizde kocaman bir kasırga gibi olduklarını düşünün. Tüm o kanılara inandığınızı bir hayal edin! Eğer kuşkucuysanız, kimselere inanmıyorsanız, o zaman bu kanıların hiçbiri sizi rahatsız edemez ya da merkezinizden uzaklaştıramaz. Kendi sembolojiniz üzerinde kontrol sahibi olduğunuzda, daima merkezlenmiş, rahat ve sakin olursunuz çünkü hayata dair kararlarınızı semboller değil *gerçek* siz vermişsinizdir. İletişim kurmak istediğinizde, sembolleri çağırırsınız, böylelikle ağzınızdan çıkarlar.

Sanatçı sizsiniz ve sembolleri istediğiniz gibi, istediğiniz yönde ayarlayabilirsiniz çünkü hepsi sizin emrinizdedir. Sembolleri ihtiyaç duyduklarınızı talep etmekte, istediklerinizi, istemediklerinizi ifadede kullanabilirsiniz.

Düşüncelerinizi, duygularınızı, düşlerinizi şahane şiir ya da düz yazılar halinde ifade edebilirsiniz. Ancak iletişim kurmak için bir dili kullanmanız ona inandığınız anlamına gelmez. Zaten bildiğiniz bir şeye inanmaya ne gerek var ki? Tek başınıza kendi kendinize konuşurken, dil tamamen anlamsızdır. Zaten bilip de kendinize söylemediğiniz ne olabilir ki?

Beşinci anlaşmayı anlıyorsanız, *görebildiğiniz* bir şeye inanmanızın neden gerekli olmadığını da görürsünüz. Hakikat sözlerle gelmez. Hakikat sessizdir. Öylece bildiğiniz bir şeydir; kelimeler olmadan hissettiğiniz, *sessiz bilgi* denilen bir şey. Sessiz bilgi sembollere imanınızı bağlamazdan önce bildiğiniz şeydir. Kendinizi hakikate açıp dinlemeyi öğrenince, tüm semboller değerlerini kaybederler ve geriye sadece hakikat kalır. Bilecek, haklı çıkartılacak hiçbir şey yoktur.

Sizinle paylaştıklarımı anlamak kolay değil ama aynı zamanda öylesine basit ki, artık bariz hale gelmiş. Sonunda lisanların ancak siz gerçek olduklarını *sandığınız* için gerçek olduklarını fark edeceksiniz. Onları bir kenara bıraktığınızda geriye ne kalır? Hakikat. Sonra bir iskemle görür ona ne ad vereceğinizi bilemezsiniz ama üzerine oturursunuz ve hakikat oradadır. Madde hakikattir. Hayat hakikattir. Işık hakikattir. İnsanın düşü hakikat değildir ama hakikat olmayışı onu kötü yapmaz. Kötü olmak da hakikat olmayan başka bir kavramdır.

Tüm sembolojiyi kendi türünüzle iletişim kurmak için yarattığınızın farkına vardığınızda, sembollerin aslında ne iyi ne kötü, ne yanlış ne de doğru olduklarını anlarsınız. Onları inançlarınızla doğru ya da yanlış kılarsınız. İnancınızın gücü buysa da, hakikat inancın da ötesindedir. Sembollerin ötesine geçtiğinizde, yaratılan her şey ve herkesin kusursuz olduğu bir mükemmellik dünyası bulursunuz. Her kelimeye inancınızın bağlanması bile mükemmeldir. Öfkeniz, dramlarınız ve yalanlarınız bile mükemmeldir. Hatta zaman zaman içinde yaşadığınız cehennem bile mükemmeldir çünkü tek var olan mükemmelliktir. Tüm hayatınızı bilginiz dâhilindeki bütün yalanları öğrenmeden, imanınızı yalan, batıl inanç ve kanılara bağlamadan yaşadığınızı bir hayal edin bakalım. O zaman, hayatı tıpkı diğer hayvanlar gibi izleyecek, yani masumiyetinizi bir ömür boyu sürdürecektiniz.

Evcilleşme sürecinde, masumiyetinizi kaybedersiniz ama masumiyetinizi kaybederken, aynı zamanda, kaybettiğinizi aramaya başlarsınız bu da sizi farkındalığa yöneltir. Farkındalığı yeniden kazandığınızda, kendi evriminizden; hayatta yaptığınız her seçimden tamamen sorumlu olursunuz.

Gezegenin düşü sizi eğittiğinde hiç seçeneğiniz yoktur. Öyle çok yalan öğrenirsiniz ki. Ama belki de artık o öğrenme sürecini tersine çevirip kendi yüreğinizi izleyerek hakikatin peşinden nasıl gideceğinizi yeniden öğrenmenin tam zamanıdır. Öğrenmeyi tersine çevirmek ya da benim deyişimle *evcilleşmeyi tersine çevirmek,* çok yavaş ancak güçlü bir süreçtir. Daha önce de söylediğimiz gibi, imanınızı bir sembolden geri aldığınızda, o güç size döner ve tüm sembolojinin üzerinizdeki gücü yok olana kadar da size dönmeyi sürdürür. Ve tüm güç size geri döndüğünde yenilmez olursunuz. Sizi hiçbir şey alt edemez. Belki de kendi kendinizi alt edemezsiniz demeliyim çünkü ikisi birebir aynı şeydir.

Sembollere bağladığınız tüm gücü geri aldığınızda, kafanıza giren her düşünceye inanmazsınız; kendi hikâyenize inanmazsınız. Ama onu dinlersiniz ve ona saygı duyduğunuz için zevk de alabilirsiniz. Sinemadaki bir filme ya da okuduğunuz bir romana inanmasanız da zevk alırsınız, öyle değil mi? Gerçekle sanal gerçek arasındaki farkı gördüğünüzde, gerçeğe güvenebileceğinizi ama sanal olana güvenmek zorunda olmadığınızı bilirsiniz ancak ikisinden de zevk almanız mümkündür. Var olandan ve kendi yarattığınızdan zevk alabilirsiniz.

Hikâyenizin doğru olmadığını bildiğiniz halde, en şahane hikâyeyi yaratıp hayatınızı ona göre yönlendirebilirsiniz. Kendi cennetinizi yaratabilir ve orada yaşarsınız. Başkalarının hikâyelerini anlayabilirseniz, onlar da sizinkini anlayabilir ve birlikte düşlerin en güzelini yaratabilirsiniz. Ama önce epeyce öğrenilmiş şeyi tersine çevirmeniz gerekir ve beşinci anlaşma bu iş için bir başka mükemmel araçtır.

Dünyanın neresine giderseniz gidin, insanlardan her türlü görüş ve hikâye dinlersiniz. Hayatta ne yapmanız gerektiğini size anlatmaya can atan müthiş masalcılara rastlarsınız. "Şunu yapmalısın, bunu yapmalısın, şöyle böyle yapmalısın." Onlara inanmayın. *Kuşkucu olun ama dinlemeyi bilin* sonra da seçiminizi yapın. Hayatta yaptığınız her seçimden sorumlu olun. Hayat sizin; başkasının değil ve onunla ne yapacağınız hiç kimseyi ilgilendirmez.

Asırlar boyunca Tanrı'nın buyruğunu bildiğini iddia eden ve herkesi lanetleyerek iyilik ve doğruluk vaazlarıyla dünyayı dolaşan insanlar olmuştur. Asırlar boyunca dünyadaki büyük felaketleri tahmin eden insanlar olmuştur. Daha kısa süre önce 2000 yılında tüm bilgisayarların çökeceği ve bildiğimiz toplumun ortadan kalkacağını öne süren insanlar olmuştu. O gün geldi, yeni asrı kutladık, yeni yılı kutladık, ne oldu? Hiçbir şey olmadı.

Binlerce yıl önce, tıpkı bugün gibi, dünyanın sonunu bekleyen peygamberler vardı. O zamanlar, büyük bir usta şöyle demişti; "Tanrı'nın kelamını söylediğini iddia eden birçok sahte peygamber ortaya çıkacaktır. *İnanmayın.*" Gördünüz mü? Beşinci anlaşma aslında yeni değil. *Kuşkucu ol ama dinlemeyi de bil.*

9

İLK DİKKATİN DÜŞÜ
Kurbanlar

BURADA AKLIMA Âdem ile Havva'nın Cennet'teki hikâyesi geldi. Âdem ile Havva tüm insanları temsil ederler. Tanrı bize Bilgi Ağacı'nın meyvesi hariç ne istersek yiyebileceğimizi söylemişti. Bu ağacın meyvesini yediğimiz gün, ölecektik. İşte biz de yedik ve öldük.

Elbette bu yalnızca bir hikâye ama önemli olan, ne demek istediği. Bu ağacın meyvesini yediğimizde neden ölüyoruz? Çünkü Bilgi Ağacı'nın gerçek ismi Ölüm Ağacı. Cennet'teki diğer ağacın adı Hayat Ağacı. Hayat hakikattir ve hakikat, kelime ya da semboller olmaksızın, sadece 'olmak'tır. Bilgi Ağacı Hayat Ağacı'nın bir yansımasıdır yalnızca. Bilginin sembollerle yaratıldığını ve sembollerin gerçek olmadıklarını biliyoruz. Bilgi Ağacı'nın meyvesini yediğimizde, semboller bizimle bilginin sesi olarak konuşan sanal gerçek haline gelirler ve biz de o gerçeklikte onu hakiki sanarak, yani farkında olmaksızın yaşarız.

İnsan evladının Ölüm Ağacı'nın meyvesini yemiş olduğu açıktır. Benim görüşüme göre, bu dünyada dolaşıp duran milyarlarca ölü insan var ama öldüklerinden *haberleri yok.* Evet, bedenleri canlı ama düş içinde olduklarının farkındalığı olmaksızın düş görüyorlar, Tolteklerin *ilk dikkatin düşü* dedikleri de budur.

İlk dikkatin düşü, dikkatimizi ilk kez kullanarak yarattığımız düştür. Ben buna bir de *insanların sıradan düşü* diyorum ya da *kurbanların düşü* de diyebiliriz; çünkü bizler yarattığımız tüm sembollerin, kafamızdaki tüm seslerin, tüm batıl inançların ve bilgimizdeki çarpıklıkların kurbanlarıyız. Çoğu insanın yaşadığı kurbanların düşünde, dinimiz, hükümet, tüm inanç ve düşünce sisteminiz tarafından kurban ediliyoruz.

Çocukken, Bilgi Ağacı'na eklenmiş tüm yalanlara karşı kendimizi savunamayız. Daha önce söylediğimiz gibi, ebeveynlerimiz, okullarımız, din ve tüm toplum kendi inanç ve kanaatlerine bizi katmaya çalışır. İnandığımız dine, ana babamız inandığı için, bizleri kilise veya benzeri ibadet yerlerine götürdükleri için inanırız. Bizi yetiştiren büyükler bize kendi hikâyelerini anlatır, okula gittiğimizde de başka bir takım hikâyeler işitiriz. Ülkemizin hikâyesini öğreniriz, kahramanları, savaşları, tüm insanlığın çektiği acıları.

Yetişkinler bizi toplumumuzun bir parçası olmaya hazırlar ve bunun tamamen yalanlarla idare edilen bir toplum olduğunu hiç şüphe duymadan söyleyebilirim. Biz de onların yaşadıkları düşte yaşamayı öğreniriz; imanımız o düşün içine sıkışıp kalır ve normal düşümüz haline gelir. Ama bunu büyüklerin kötü niyetle yaptıklarına inanmıyorum. Büyükler bize ancak kendi bildiklerini öğretebilirler, bilmediklerini öğretemezler. Onların bildikleri tüm hayatları boyunca öğrendikleri ve inandıklarıdır. Ebeveyninizin sizin için en iyisini yaptığından kuşkunuz olmasın. Daha iyisini yapmadılarsa, bilemediklerindendir. Kendileriyle ilgili bir sürü kanı sahibi olduklarından emin olabilirsiniz, üstelik diğer insanlar tarafından da yargılanıyorlardı. Onlar ilk dikkatin düşü *yeraltı âleminde*, *Cehennem* dediğimiz dünyada yaşamışlardı. Ölüydüler.

Elbette, bütün bu semboller tam da hakikat değildirler. Hakikat sembollerin *arkasında*; *niyet* ya da *anlam*larındadır. Dinler cehennem düşünü betimlerken, yakıldığımız, yargılandığımız, ebediyen cezalandırıldığımız bir yer olduğunu söylerler. İşte cehennemin bu tanımı, insanlığın sıradan düşüdür. İnsan zihninde olan tam da budur: içimizde yanan bir ateş hissi veren yargılanma, suç, ceza ve korkudan kaynaklanan duygular. Korku, yeraltı âleminin kralıdır ve bilgimizdeki çarpıklıkları oluşturarak dünyamızı yönetir. Korku, milyarlarca insanın içinde yaşadığı, tüm haksızlıklar ve duygusal dramlar dünyasını yaratır.

Peki, bu dünyadaki en büyük korku nedir? Hakikat korkusudur. Öyle çok yalana inanmayı öğrenmişiz ki, hakikatten korkarız. Elbette, inandığımız yalanlar da bizi korkutur. Gerçek ya da kurgu, bilgi sahibi olmakla kendimizi emniyette hissederiz ama bu da bize acı çektirir çünkü bildiklerimize inanırız ve bildiğimiz hemen hiçbir şey gerçek değil, yalnızca birer bakış açısıdır. Yine de inanır, üstelik aynı çarpıtılmış mesajları çocuklarımıza aktarırız. Tüm zincir böyle sürüp gider ve insanlığın tarihi kendini tekrarlayıp durur.

Çok zaman önce bilge insanlar ilk dikkat düşünü binlerce insanın konuşup kimsenin dinlemediği bir pazaryerine benzetirlermiş. Toltekler buna Nahuatl dilinde aşırı dedikodu anlamında *mitote* derler. Bu *mitote*'de sözü kendimize karşı, başkalarıyla ilişkimizde de onlara karşı kullanırız.

Her insan bir sihirbazdır ve sihirbazlar arasındaki etkileşimde her tarafa büyüler saçılır. Nasıl mı? Sözü kötüye kullanarak, her şeyi kişisel alarak, her algıladığımızı varsayımlarla çarpıtarak, dedikodu yaparak ve sözle duygusal zehri dağıtarak. Biz insanlar çoğu zaman en çok sevdiklerimize büyü yaparız ve otoritemiz ne kadar güçlüyse, büyümüz de o kadar güçlü olur. Otorite bir insanın diğer insanları kontrol etmekte, itaat ettirmekte kullandıkları güçtür. Çocukluğunuzda otoriteden korktuğunuzu hatırlarsınız. Otoriteden korkan yetişkinleri de bilirsiniz. Otoriteyle söylenen sözler, diğer insanları etkileyen güçlü birer büyüdür. Neden? Çünkü o sözlere *inanırız*.

Sembolojinin gücünü anlarsak eğer, sembollerin bizi götürdükleri yeri de görebiliriz. Onu davranış tarzımızda, herkesle ama esas olarak kendimizle etkileşimimizde görürüz. Bir fikir, bir inanç, bir hikâye ruhumuzu ele geçirir. Bazen kızgınlıktır ruhumuzu sahiplenen, bazen kıskançlık, kimi zaman da aşktır. Semboller dikkatimizi çekmek için yarışırlar ve bir şekilde, sürekli değişerek sırayla ruhumuzu ele geçirirler. Kafamızda yerini alıp bizi kontrol etmek isteyen binlerce sembol vardır. Daha önce de söylediğimiz gibi, tüm o semboller canlıdır ve o can bizden gelir, çünkü *inanırız*.

Semboller kafamızda sürekli konuşurlar. Asla durmazlar. Sanki algıladıklarımızın farkında değilmişiz gibi, kafamızda bize çevremizde olan biteni anlatan bir hikâyeci vardır: "Bak, şimdi de güneş batıyor. Ne iyi. Ter bastı. Bak, şu tarafta ağaçlar var! Şu adam ne yapıyor? Kim bilir kafasından neler geçiriyordur." Bilginin sesi, her şeyin anlamını bilmek ister. Hayatımızda olan biteni yorumlamaya can atar. Ne zaman, nerede, nasıl, ne yapacağımızı bize söyler durur. Bize sürekli kendimize dair neye inanıp inanmadığımızı hatırlatır. Ne değilsek, bize onu söyler. Neden gerektiği gibi olamadığımızı sorar.

İlk dikkat düşünde, yaşadığımız dünya tıpkı sunucusu bilginin sesi olan bir *reality show* [gerçeklik gösterisi] gibidir. Herkesin haksız bizim haklı çıkacağımıza şüphe yoktur çünkü bildiğimiz her şeyi gösterimizdekileri doğrulamakta kullanırız. Ama ne biçim bir gerçeklik gösterisi! En yüksek izlenme oranı onda. O hikâyedeki her karakteri yaratan biziz ve her karakter hakkında inandığımız ne varsa gerçek dışı; her zaman öyleydi. Kafamızda yaşayan Bilgi Ağacı oldukça hakikati artık algılayamayız; ancak kendi bilgimizi, yalnızca yalanları algılarız. Yalnızca yalanları algıladığımızda tüm dikkatimiz cehennem rüyasının esiri olur, artık çevremizdeki cennet gerçekliğini algılamaz oluruz. Ve insanlık Cennet'ten böyle kovulmuştur.

Adem ile Havva'nın hikâyesinde, Bilgi Ağacı'nda yaşayan bir yılanla müthiş bir alışverişimiz olmuştur. O yılan, çarpıtılmış mesajlar ileten düşmüş bir melekti; Yalanlar Prensi'ydi, bizler ise masumduk. Yılan bize, "Tanrı'ya benzemek ister misiniz?" diye sormuştu. Basit bir soru ama hileyi fark ettiniz mi? "Hayır, teşekkürler. Ben zaten tanrıyım" demiş olsaydık hâlâ Cennet'te yaşıyorduk. Ama biz tutup "Evet, Tanrı'ya benzemek isterim" dedik. Yalanı fark etmedik, meyveyi ısırdık, yalanı yuttuk ve öldük.

Yalanı fark etmeden elmayı bize ısırtan kuşkudur. Kuşkulanmazdan önce, bilmeyiz bile; hakikat ortadadır ve onu yalnızca yaşarız. Bir kez yalanı yutunca, artık Tanrı olduğumuza inanmayız ve Tanrı'yı aramaya o zaman başlarız. Derken, Tanrı'yı bulmak için bir ibadet mekânı yaratma-

101

mız gerektiğine inanırız, Tanrı'ya ibadet için bir yere ihtiyacımız vardır. Tanrı'ya ulaşmak için her şeyden feragat etmek zorundayızdır; kendi içimizde acı yaratıp onu Tanrı'ya sunmamız lazımdır. Kısa süre sonra Tanrı olmadıklarına inanan binlerce kişinin sığdığı büyük bir tapınağımız olur. Tabii Tanrı'ya bir de isim vermemiz gerekir, sonuçta bir din yaratılmış olur.

Şimşek tanrısını, savaş tanrısını, aşk tanrıçasını yaratıp onlara Zeus, Mars ve Aphrodite diye isimler takarız. Bu tanrılara inanan ve tapan binlerce, belki de milyonlarca insan vardı. Bu tanrılara canlarını kurban ettiler. Kendi evlatlarını bile öldürüp bu tanrılara kurban ettiler çünkü bu tanrıların hakikat olduğuna inanıyorlardı. Ama öyle miydi?

Gördüğünüz gibi, inandığımız ilk yalan "Tanrı değilim" idi. Bu yalanı başka yalanlar izler de izler, biz de inanır, inanır, inanırız. Bir süre sonra, o kadar çok yalan birikir ki, altında ezilir, kendi kutsallığımızı unuturuz. Tanrı'nın güzellik ve kusursuzluğunu görür, Tanrı'ya benzemek isteriz, o "kusursuzluğun imgesi" olmak ister, sürekli kusursuzluğu ararız.

İnsanlar hikâyecidir, çocuklarımıza kötü davrandığımızda yargılayan ve cezalandıran mükemmel bir tanrıyı anlatırız. "Uslu" ya da "Tanrı"yı daha çok andıran çocukları ödüllendiren Noel Baba'yı anlatırız. Mesajlar çarpıtılmıştır. Adaletle oynayan türden bir tanrı yoktur. Noel Baba yoktur. Kafamızdaki tüm o bilgi asılsızdır.

Bilgi Ağacı'ndaki o yılanla konuşurken, aslında kendimizin çarpıtılmış bir yansımasıyla konuşuruz. Bilgi Ağacı'ndaki o yılan, aslında o çok korktuğumuz kimsedir. Korktuğumuz, kendi yansımamızdır. Ne saçma değil mi? Aynada kendi yansımanıza baktığınızı hayal edin. Yansıma, gerçek olanın tam bir kopyası gibi gözükür ama aynadaki imge aslının tam tersidir; sağ eliniz aynada sol eliniz gibi görünür. Hakikat daima yansıma tarafından çarpıtılır.

Çocukluğumuzda, çevremizdeki aynalar onları görebilelim diye dikkatimize takılırlar, gördüğümüz ise ruh haline göre, o aynaların bizi yansıttıkları ana göre, algılamalarını doğrulamak için kullandıkları inanç sistemine göre çarpıtılmış suretlerimizdir. Çevremizdeki insanlar bize olduğumuza *inandıkları* bizi anlatırlar ama *gerçekte* ne olduğumuzu yansıtacak duru bir ayna yoktur. Tüm aynalar tamamen çarpıtılmıştır. Kendi inandıkları neyse, onu bize yansıtırlar ve inandıkları hemen her şey birer yalandır. İnanır ya da inanmayız ama çocukluğumuzda masum olduğumuzdan hemen her şeye inanırız. İmanımızı yalanlara bağlar, onlara can ve güç veririz; kısa süre sonra yalanlar hayatımızı yönetir.

Yalanlar Prensi'nin hikâyesi yalnızca bir hikâye ama anlayıp sonuçlar çıkartabileceğimiz sembollerle yazılmış harika bir hikâye. Anlamının açık olduğunu sanıyorum. Tanrı olmadığımızı düşlemeye başladığımızda, kâbus başlar. Cennetten dosdoğru *cehennem* adını verdiğimiz karanlıklar âlemine düşeriz. Tanrı'yı aramaya, öz benliğimizi aramaya başlarız çünkü bizim hayatımızı Bilgi Ağacı yaşamaya başlamıştır ve hakiki benliğimiz ölmüştür.

Bunu derken, aklıma havarileriyle yürürken, öğretilerini anlayacak değerde bir adama rastlayan İsa Peygamber ile ilgili başka bir hikâye geldi. İsa adama gidip "Gel, bana katıl" der. Adam "Gelirim ama babam yeni öldü. Onu gömdükten sonra sana katılırım" yanıtını verir. İsa ise, "Bırak ölüleri ölüler gömsün. Sen canlısın. Benimle gel" der.

Hikâyeyi anladınızsa, uyanık olmadıkça, ne olduğunuzun farkında olmadıkça "ölü" olacağınızı görmek zor değil. Siz *hakikatsiniz*; *hayatsınız*; *sevgisiniz*. Ancak evcilleştirme sürecinde, dışsal düş, gezegenin rüyası dikkatinizi çeler ve tüm inançlarınızla sizi besler. Yavaş yavaş dışsal düşün kopyası olursunuz. Çevrenizdeki herkes ve her şeyden öğrendiklerinizi taklit edersiniz. Sadece inançları değil davranışları da, yani yalnızca insanların söylediklerini değil yaptıklarını da taklit edersiniz. Çevrenizdekilerin duygusal hallerini algılayıp onu da kopyalarsınız.

Siz *gerçek* siz değilsiniz çünkü kendi çarpıtılmış imgeniz ruhunuza sahip olmuştur. Belki de anlaşılması biraz zor ama bunca zamandır *size sahip olan* yine sizsiniz. Sizi ele geçiren, *sanal* sizdir: Kendinizi ne *sanıyorsanız,* o; ne olduğunuza inanmışsanız, o. Bu benlik imgeniz son derece güçlü olmuştur. Bunca yıllık uygulama sizi sandığınız insanmış gibi davranmakta ustalaştırmıştır. Ve o çarpıtılmış imge aslında mezarınızdır çünkü sizin hayatınızı yaşayan gerçek siz değil. Peki kim?

Gerçek siz hayatınızdaki bütün o dram ve ıstırabı yaşatan mıdır? "Hayat bir gözyaşı vadisidir, buraya ıstırap çekmeye geliyoruz" diyen midir gerçek siz? Sizi yargılayan, cezalandıran ve başkalarını da cezalandırmaya davet eden mi gerçek sizdir yoksa? Bedeninizi kötüye kullanan mıdır gerçek siz? Kendini hiç sevmeyen siz mi? Bütün bunları düşleyen, sahiden gerçek siz midir?

Hayır, gerçek siz değildir. Gerçek şu ki, siz ölüsünüz. O zaman hayata dönmenin çaresi nedir? *Farkındalık.* Farkındalığınızı yeniden kazanınca, yeniden doğarsınız. Hıristiyan geleneğinde, diriliş günü, İsa'nın ölüler âleminden dönüp dünyaya kutsallığını gösterdiği gündür. Bu yüzden buradasınız: ölüler âleminden dönüp kendi kutsallığınızı ilan etmek için. Yanılsamalar dünyasından, yalanlar dünyasından dönüp kendi gerçekliğinize, sahiciliğinize dönmenin zamanıdır. Öğrenilen yalanları unutup gerçek siz olmanın zamanıdır. Ve bunu yapabilmek için hayata yani hakikate geri dönmelisiniz.

Hayata geri dönmenin anahtarı farkındalıktır ve Tolteklerin başlıca ustalıklarından birisi budur. Farkındalık sizi ilk dikkat düşünden çıkartarak kafanıza egemen olan yalanlara isyan ettiğiniz ikinci dikkat düşüne taşır. İsyan edince tüm rüya değişmeye başlar.

10

İKİNCİ DİKKATİN DÜŞÜ
Savaşçılar

RÜYA GÖRMEYİ İLK ÖĞRENDİĞİMİZDE, hoşlanmadığımız, karşı olduğumuz ama rüyayı olduğu gibi kabul ettiğimiz pek çok şey vardır. Sonra, her ne sebeptense, yaşam tarzımızdan hoşlanmadığımızın farkına varırız; gördüğümüz düşün farkına varıp düş görmek istemeyiz. Bu kez dikkati ikinci kez düşümüzü değiştirip bir ikinci düş yaratmakta kullanmaya çalışırız. Tolteklerin *ikinci dikkatin düşü* ya da *savaşçıların düşü* dedikleri budur çünkü artık bilgimiz dahilindeki tüm yalanlara savaş ilan etmişizdir.

İkinci dikkatin düşünde, kuşku duymaya başlarız: "Belki de öğrendiğim her şey hakikat değildir." İnandıklarımıza meydan okumaya başlarız; öğrendiğimiz bütün görüşleri sorgulamaya başlarız. Kafamızda, belki yapmak istemediklerimizi bize yaptıran bir şeyler olduğunu biliriz; zihnimizin kontrolüne tamamen sahip olan bir şeyler. Ve bundan hoşlanmayız. Hoşlanmadığımız için de bir noktada isyan etmeye başlarız.

O isyan içinde, benim benliğin *bütünlüğü* dediğim sahiciliğimize, neysek tam ona, yeniden sahip çıkmaya çalışırız. İlk dikkat düşünde, sahici benliğin hiç şansı yoktur. Tam bir kurbandır o. İsyan etmeyi denemeyiz bile. Ama şimdi, artık kurban olmayı değil dünyayı değiştirmeyi isteriz. Kişisel özgürlüğümüze yeniden sahip çıkmaya çalışırız; gerçekten kimsek o olma özgürlüğüne, gerçekten ne istiyorsak onu yapma özgürlüğüne. Savaşçılar dünyası bir şeyler yapmaya gayret etme dünyasıdır. Hoşlanmadığımız dünyayı değiştirmeye gayret eder, bunu sürekli yaparız. Bu savaş sonsuzmuş gibi görünür.

Savaşçıların düşünde, savaştayızdır ama o savaş başkalarına karşı değildir. Dışarıdaki rüya ile ilgisi yoktur. Her şey zihnimizde olmaktadır. Bu, zihnimizin, bizi kişisel cehennemimize yönelten seçimleri yapan kısmına karşı olan savaştır. Sahici benliğimizle *zorba, baş yargıç, yasa kitabı, inanç sistemi* adını verdiklerimiz arasında bir savaştır bu. Fikirler, kanılar, inançlar arasında bir savaştır. Ben buna bir de *tanrılar savaşı* diyorum çünkü bütün bu fikirler insan zihnine egemen olmak için mücadele ederler. Ve tıpkı antik çağ tanrıları gibi insan kurbanlar isterler.

Evet, artık inanmadığımızı öne sürsek de hâlâ tanrılara insan kurban etmekteyiz. Elbette tanrıların adlarını değiştirmişiz, *tanrı* dediğimiz o sembollerin *anlamlarını* değiştirmişiz. Belki artık Apollo'ya inanmıyoruz, Osiris'e inanmıyoruz ama adalete, hürriyete, demokrasiye inanıyoruz. Yeni tanrıların isimleri bunlar. Gücümüzü bu sembollere veriyoruz, onları tanrı katına yükseltiyoruz ve hayatlarımızı bu tanrılar adına kurban ediyoruz.

İnsan kurban etme bütün dünyada süregelen bir eylem, sonucu ortada: Şiddeti görüyoruz, suçu görüyoruz, insan dolu hapishaneleri görüyoruz, savaşı, insanlığın cehennem düşünü görüyoruz çünkü bilgimizin içinde bir sürü batıl inanca ve çarpıtmalara inanıyoruz. Savaşı insanlar yaratıyor biz de gençlerimizi o savaşlarda kurban edilmeye gönderiyoruz. Çoğu zaman ne için savaştıklarından bile haberleri yok.

Herhangi bir büyük kentte savaş çeteleri görüyoruz. Gençler kendilerini kurban edip birbirlerini gurur adına, kâr adına, inandıkları hangi tanrı ise onun adına öldürüyorlar. İlan edilen gururları için dövüşüyor, bir araziyi denetlemek için kavga ediyor, kafalarındaki, üniformalarındaki bir sembol için savaşıyor ve kendilerini kurban ediyorlar. Bu gezegendeki ufacık köyden en büyük ülkeye, tanrılarını hiç var olmayan bir şeye karşı korumak için kavga eden insan toplulukları görüyoruz. Sorun şu ki, kafalarında süren savaşı dışarıya taşırıp birbirlerini öldürüyorlar.

Belki artık insan kurban etmeye inanmıyoruz ama şu anda, "Kurban eden ben olacağım. Bana bir silah verin ki onlar beni öldürmeden ben mümkün olduğunca çok kişiyi öldüreyim" diyen insanlar var. Üstelik bu bir yargı değil; böyle oluyor gerçekten. İnsan kurban etmek yanlıştır, demiyorum. Var olan bir şey, varlığını inkâr edemeyiz çünkü dünyadaki pek çok farklı kültürde bunu her gün görmekteyiz. Görüyor ve katılıyoruz buna. Birisi bir hata yapar ve bir kuralı bozarken yakalanırsa, ne yaparız? Haydi, onu çarmıha gerelim, yargılayalım, dedikodusunu yapalım. Bu da bir tür insan kurban etme şeklidir. Evet, kurallar var, belki de onlara karşı gelmek en büyük günah ve belki de o kuralların kimisi tamamen doğa dışı. Ama kuralları biz yaratıyoruz, onlara göre yaşamayı kabul ediyoruz ve artık ihtiyacımız olmasa da onlara uyuyoruz ve şu anda onlara ihtiyacımız var.

İnsanlar o kadar çok yalana inanmışlar ki, en küçük şey bile bize acı çektiren bir iblise dönüşüyor. Genellikle bu sadece bir yargı; kendimize dönük bir yargı: "Yazık bana. Bak dokuz yaşımdayken başıma neler gelmişti. Bak dün gece başıma gelenlere!" geçmişinizde her ne olduysa, artık hakikat o değildir. Feci bir şey de olmuş olabilir ama şu an hakikat o değildir çünkü şu an, içinde yaşadığınız tek hakikattir. Geçmişinizde ne olduysa, sanal gerçektir ve bedeninizde olanlar da çoktan iyileşmiştir, oysa zihin size ıstırap çektirip yıllarca utanç içinde yaşatabilir.

Biz insanlar geçmişimizi, tarihimizi her yere yanımızda götürürüz ve bu tıpkı ağır bir ceset taşımaya benzer. Kimine o kadar ağır gelmez ama çoğunluk için ceset oldukça ağırdır. Ve yalnız ağır olmakla da kalmaz, berbat kokar. Çoğumuzun yaptığı, cesedimizi sevdiklerimizle paylaşmak üzere saklamaktır. Sahip olduğumuz o güçlü hafıza ile şimdiki zamanda hayata geçirir, deneyimlerimizi tekrar tekrar, döne döne yaşarız. O deneyimleri ne zaman hatırlasak, kendimizi ve başkalarını yine, yeniden, tekrar tekrar cezalandırırız.

Yeryüzünde kendini aynı hata için binlerce kez cezalandıran, başkalarına da aynı hata için yine binlerce kez ceza veren tek hayvan insandır. Kendi kafamızın içinde adalet yokken dünyanın geri kalanındaki adaletsizlikten nasıl söz edebiliriz ki? Tüm evreni yöneten adalettir ama biz sanatçıların yarattığı adaletin çarpıtılmış hali değil, gerçek adalet. Gerçek adalet benim *etki-tepki* dediğim şeyle yüzleşmektir. Sebep-sonuç ilişkileri dünyasında yaşıyoruz. Her etkiye [eylem] karşılık bir tepki vardır. Hakiki adalet, yaptığımız her hatanın bedelini tek bir kez ödemektir. Peki, biz her hatanın bedelini kaç kez ödüyoruz? Besbelli, adalet bu değil.

Diyelim ki, on yıl önce yaptığınız bir hata yüzünden suçluluk ve utanç içinde yaşıyorsunuz. Istırabınızın bahanesi "Feci bir hata yaptım" ve siz hâlâ on yıl önceki hatanız nedeniyle acı çektiğinizi sanıyorsunuz ama hakikat o ki on saniye önce olan bir şey nedeniyle ıstırap çekmektesiniz. Aynı hata için kendinizi tekrar yargıladınız ve baş yargıç tabii ki, "Cezalandırılman gerek" diyor. Basit bir etki-tepki. *Etki* [eylem] suçluluk ve utanç şeklindeki kendini yargılama. Hayat boyu aynı eylemi farklı bir tepki almak umuduyla yineliyorsunuz ve asla öyle olmuyor. Hayatınızı değiştirmenin tek yolu eylemi [etki] değiştirmek. Arkasından tepki de değişecek.

Bilgi olan siz, insan olan sizi nasıl incitiyor gördünüz mü? Hep o öğrendiğiniz bütün sembollerle düşünüp yargılıyorsunuz. İnsanı taciz eden bir hikâye yaratıyorsunuz. İnsan ne zaman taciz edilse, normal tepki kızgınlık, nefret, kıskançlık ya da bize acı çektirecek duygulardan birisidir. Sinir sistemimiz bir duygu fabrikasıdır ve deneyimlediğimiz duygular algıladığımız şeye bağlıdır. Algıladığımız, kendi yargılarımız, inanç sistemimiz, kendi bilgi sesimizdir. Ve sanal dünyamızı yöneten yargıç, kurban ve inanç sistemiyle, ürettiğimiz duygular korku, suçluluk, utançtır. Başka ne üretmeyi bekleyebiliriz ki? Sevgi mi? Bazen üretsek de, tabii ki onu değil.

Söz göremediğiniz bir kuvvettir ama onun tecellisini, sözün ifadesi olan kendi hayatınızı görebilirsiniz. Sözünüzün özenli olup olmadığını ölçmenin yolu duygusal tepkilerinizdir. Mutlu musunuz yoksa acı mı çekiyorsunuz? Düşünüzden zevk almanız ya da acı çekmenizin nedeni onu öyle yarattığınızdandır. Evet, ana babanız, dininiz, okullar, hükümet, tüm toplum size düşünüzü yaratmakta yardım etti, doğru, asla bir seçeneğiniz olmadı. Ama şimdi tercih edebilirsiniz. Cenneti veya cehennemi yaratabilirsiniz. İkisinin de içinizde var olan zihinsel durumlar olduğunu hatırlayın.

Mutlu olmak hoşunuza gidiyor mu? O halde olun ve mutluluğunuzun keyfine varın. Istırap çekmekten mi hoşlanıyorsunuz? Harika; o zaman ıstırabınızdan neden keyif almayasınız? Eğer cehennemi yaratmayı seçerseniz, aferin size. Ağlayın, acı çekin, acınızla sanatsal bir başyapıt yaratın. Ama eğer farkındalık sahibiyseniz, cehennemi seçmenize imkân yoktur; cenneti seçersiniz. Cenneti seçmenin yolu ise sözünüzün özenli olmasından geçer.

Sözünüz özenli ise, nasıl kendinizi yargılayabilirsiniz? Nasıl suçlayabilirsiniz? Suçluluk veya utancı nasıl taşıyabilirsiniz? Bütün bu duyguları yaratmadığınız sürece, harika hissedersiniz! Şimdi tekrar gülümsüyorsunuz ve bu tamamen samimi bir gülümseme. Belli bir durumdaymışsınız gibi yapmanıza gerek yok. Olmadığınız bir şey olmaya çalışmanıza gerek yok. Her ne iseniz, o an olduğunuz odur. O anda, kendinizi tam olduğu gibi kabullenirsiniz. Kendinizden hoşlanırsınız; kendinizle olmaktan zevk alırsınız. Artık sembolleri aleyhinize kullanarak kendinizi taciz etmezsiniz.

Bu nedenle farkında olmanın önemini tekrar etmek zorundayım. Sembollerin zorbalığı son derece önemlidir. İkinci dikkatin düşünde savaşçı, sembollerin insan üzerinde nasıl güç kurduğunu keşfetmeye çalışır. Savaşçının tüm savaşı sembollere karşıdır, kendi yaratılışımıza karşıdır ama nedeni sembollerden nefret etmemiz değildir. Semboller usta işi bir yaratıcılıktır; onlar bizim sanatımız ve tüm sembolleri iletişimde kullanmak bize kolaylık sağlar.

Ancak tüm gücümüzü onlara verince güçsüzleşiriz ve kurtarılmamız gerekir. Kurtarıcıya ihtiyaç duyarız çünkü kendimize ait gücümüz kalmamıştır.

O zaman kendimize dönüp, "Ah Tanrım, ne olur beni kurtar!" deriz. Oysa bizi kurtarmak ne Tanrı'nın ne İsa'nın ne Musa'nın, ne Muhammet'in ne de bir şaman ya da gurunun işidir. Bizi kurtarmazlar ise onları suçlayamayız. Bizi hiç kimse kurtaramaz çünkü bizim sanal dünyamızda olanlardan hiç kimse sorumlu değildir. Rahip, papaz, haham ya da guru dünyamızı değiştiremez; kocamız, karımız, çocuklarımız ya da arkadaşlarımız da değiştiremezler. Başka hiç kimse dünyamızı değiştiremez çünkü dünyamız sadece kafamızda yaşamaktadır.

Birçok insan İsa bizi günahlarımızdan kurtarmak için, bizler için öldü, diye düşünür. Evet, bu harika bir hikâye ama hayatımızdaki seçimleri İsa yapmıyor ki. Bizi kurtarmak yerine, ne yapacağımızı söylemiştir bize İsa. Yardıma mı ihtiyacınız var? Madem öyle, hakikati izlemeniz gerekir. Bağışlamanız gerekir. Birbirinizi sevmeniz gerekir. O bize tüm araçları vermiş ama biz hâlâ, "Yok, bağışlayamam. Duygusal zehrimle, öfkemle, kıskançlığımla yaşamayı tercih ederim" deriz. Eğer sevdiklerimizle kavga ediyorsak, çevremize direniş halindeysek, bir sebep-sonuç dünyasında yaşadığımızı hatırlayalım. Önce ondan ayrılmalıyız, bağışlamalıyız çünkü bağışlamak duygusal bedenimizi duygusal zehirden arındırmanın yegâne yoludur.

Duygusal zehir hepimizde bulunur zira hepimizin duygusal yaraları vardır. Bu olur. Nasıl bedenimizde bir kesik oluştuğunda ya da bir kemiğimiz kırıldığında canımız acırsa, duygusal bedenin de acı duyması normaldir çünkü canlıyız, yırtıcılarla kuşatılmışız ve bizler de yırtıcıyız. Ama suçlanacak kimse yok; bu işler böyledir. Eğer suçlarsak, buna neden olan duygusal zehrimizdir. Suçlama yerine kendi iyileşmemizin sorumluluğunu üstlenebiliriz.

Birisinin gelip sizi kurtarmasını bekliyorsanız, o kurtarıcı kendiniz olacaksınız. Siz kendi kendinizin kurtarıcısısınız ama farkındalığınızı ve bireysel savaşınızı kazanmanıza yardımcı olacak araçları size veren öğretmenleriniz de olacaktır. Sanatınızla nasıl başyapıt şeklinde bir cennet yaratacağınızı size gösterecek sanatçılar da vardır.

Diyelim ki, iyi bir sanatçısınız, derken bir usta sanatçı gelip size, "Seni beğendim, çırağım olmanı istiyorum. Gel; öğreteyim sana" diyor. "Usta bir sanatçı olman için ilk ve en önemli şey, *sözlerini özenle seçmen*dir. Aslında öyle basit ki. Kendi hikâyeni yazıyorsun ve tabii kendi aleyhine olmasını istemiyorsun. İkincisi, *hiçbir şeyi kişisel algılama*. Bu da çok işine yarayacak. Bununla hemfikir olursan, hayatındaki dramın çoğu yok olacaktır. Üçüncüsü, *varsayımda bulunma*. Kendine bir cehennem yaratma; yalanlara ve batıl inançlara inanmaya bir son ver. Ve dördüncüsü, *daima yapabileceğinin en iyisini yap*. Eyleme geç. Ustalaşmak için uygula. Çok basit."

Sonra bir an gelir kendi yarattığınızı başka bir açıdan görürsünüz. Kendi hayatınızın sanatsal yaratıcısının yine siz olduğunuzu anlarsınız. Tuvali, boyaları, fırçaları ve sanatı yaratan sizsinizdir. Hayatınızın tuvalindeki her fırça darbesine anlam veren sizsiniz. Tüm imanını kendi sanatına bağlayan yine siz. Ve sonunda, "Yarattığım hikâye çok güzel ama artık ona inanmıyorum. Ne kendimin ne de başkalarının hikâyesine inanıyorum. Bunun yalnızca sanat olduğunu görüyorum" dersiniz. Bu harika. İşte beşinci anlaşma. Sağduyuya, hakikate, gerçek benliğine geri dön. *Kuşkucu ol ama dinlemeyi de öğren.*

İkinci dikkatin düşünde, savaşı kazanacak ve dünyanızı değiştirecek araçlara ihtiyacınız vardır ve bu anlaşmaların konusu da budur. Düşünüzü dönüştürecek, düşünüzde ustalaşacak araçlardır bunlar ve onları nasıl kullanacağınız size kalmıştır. Bu beş basit anlaşma tüm hayatınız boyunca yaptığınız o kısıtlayıcı, korku temelli anlaşmaların tümüne kuşku tohumlarını atacak güce sahiptir. Bilginize katılmış yalanları geri döndürmek için tek şansınız dikkati kullanmaktır. İlk düşünüzü toparlamak için de, o düşü unutmak için de dikkati kullanırsınız.

Dört Anlaşma kişisel cennetinizi ikinci kez yaratmak için dikkatinizi kullanma araçlarıdır; *Beşinci Anlaşma* ise sembollerin zorbalığına karşı savaşı kazanmanın aracıdır. *Dört Anlaşma* kişisel dönüşümünüzün araçlarıdır, beşincisi ise kişisel dönüşümün sonu ve kendinize verebileceğiniz en büyük armağan olan *kuşku*nun başlangıcıdır.

Cennetten kovulmamıza neden olan kuşkudur, demiştik. Cennete dönüş de yine kuşkuyla ilgilidir. Kuşku imanımızı yeniden kazanmakta, inandığımız her bir yalan ve batıl inançtan gücümüzü geri almakta ve o gücü kendimize döndürmekte kullandığımız araçtır. Elbette, kendimizden kuşkulanarak kuşkunun gücünü kendimize karşı da kullanabiliriz. Âdem ile Havva'nın hikâyesinde, Tanrı olduğumuzdan kuşkulandığımızda, o kuşku başka bir kuşkuya kapı açar, sonra bir başkasına ve böyle sürüp gider. Hakikatten kuşku duyduğumuzda, yalanlara inanmaya başlarız. Kısa sürede öyle çok yalana inanırız ki artık hakikati göremez olur, cennet düşünden ayılırız.

Kuşku cehenneme girmek ya da cehennemden çıkmak için ürettiğimiz büyük bir eserdir. Her iki durumda da kuşku sembollerin efsununa kapılmamıza giden kapıyı açar ya da tam tersine o kapılışı durdurmak için kapıyı kapar. Kendimizden kuşku duyarsak, tüm Bilgi Ağacı; bütün hayatımız boyunca dikkatimizi kontrol eden efsane bize geri dönmeye başlar. Bilginin sesi tekrar ruhumuza hâkim olur ve sembollerin, varsayımların, tüm o *düşünmenin* getirdiği bütün öfkeyi, kıskançlığı, haksızlıkları hissetmeye başlarız.

Sonra, kendinizden kuşku duymak yerine, kendinize inanmaya başlarsınız. Hakikatten kuşkulanmak yerine yalanlardan kuşkulanırsınız. *Kuşkucu ol ama dinlemeyi de bil.* Beşinci anlaşma cennetin kapısını açar, gerisi ise size kalmıştır. Bu anlaşma cennette olmak ile cennetin içinizde olmasına dairdir. Sembollere olan bağınızı, kendi adınızı bile bırakıp sonsuzla birleşmekle (sahici olmak, kendinize kuşku duymadan inanmakla) ilgilidir, zira azıcık kuşku bile cennet deneyimini sonlandırabilir.

Kendinize inandığınız zaman birlikte doğduğunuz her içgüdüyü izlersiniz. Ne olduğunuza dair hiçbir kuşkunuz olmaz ve sağduyuya geri dönersiniz. Tüm samimiyetinizin gücü sizindir; kendinize güvenirsiniz, *hayata* güvenirsiniz. Her şeyin yolunda gideceğine inanırsınız, hayat böylelikle son derece kolaylaşır. Artık zihin her şeyi anlama gereğini duymaz; *bilmeğe* ihtiyacı yoktur. Bir şeyi ya bilirsiniz ya da bilmezsiniz ama bilip bilmediğinize dair kuşkunuz yoktur. Bilmiyorsanız, bilmediğinizi kabul edersiniz. Uyduracak haliniz yoktur. Tamamen samimi olduğunuzda, kendinize kuşkusuzca hakikati söylersiniz: "Hoşuma gitti; hoşuma gitmedi. İstiyorum; istemiyorum." Tam istediklerinizi yaparak hayattan zevk alırsınız.

Kendimizi başkaları için feda ettiğimizde hayatı zorlaştırmış oluruz. Tabii ki kendinizi başkası için kurban etmek üzere gelmediniz buraya. Başkalarının görüşlerini ve bakış açılarını tatmin etmek için burada bulunmuyorsunuz. *İkinci dikkatin düşünde*, aşılacak zorluklardan birisi kendiniz olmaktan korkmaktır; *gerçek* benliğinizden. Eğer bu zorlukla yüzleşecek cesaretiniz varsa, korktuğunuz tüm nedenlerin mevcut bile olmadıklarını keşfedersiniz. O zaman kendiniz olmanın olmadığınız biri olmaya çalışmaktan çok daha kolay olduğunu görürsünüz. Tüm o cehennem düşü, bir imgeyi ayakta tutmanın, sosyal bir maske ile gezmenin zorluğunun gerektirdiği enerji yüzünden çok yorucudur. Poz yapmaktan; *kendiniz* olmamaktan yorulmuşsunuzdur. Sahici olmak, yapabileceğiniz en iyi şeydir. Sahici olunca istediğinizi yaparsınız; kendinize inanmak dahil, neye inanmak istiyorsanız ona inanırsınız.

Semboller yerine *kendinize* inanmak ne kadar zor olabilir ki? Bilimsel teorilere, pek çok dine ve bakış açısına inanabilirsiniz ama gerçek *iman* bu değildir. Kendine iman gerçek imandır. Gerçek iman, kim olduğunuzu bildiğiniz ve gerçek benliğiniz hakikat olduğu için kendinize koşulsuz olarak güvenmektir.

Bir kez ne olduğunuza dair farkındalığın örtüsünü kaldırınca kafanızdaki savaş sona erer. Tüm sembolleri yaratanın kendiniz olduğu barizdir. Gücünün kaynağı belli olduğu için de sözünüzün gücü vardır ve o gücü kimse durduramaz. Sözünüz kusursuzdur ve öyle olduğu için de sembollerin üzerinizdeki gücü değil sizin onlar üzerindeki gücünüz geçerlidir. Sözünüz özenli olduğunda, hayatınızdaki her seçimi hakikate dayandırırsınız ve böylece zorbaya karşı savaşı kazanırsınız. Sözler emrinize amade sizi bekler ama ancak onları iletişimde birisiyle doğrudan bağlantı kurmak için kullandığınız zaman anlam kazanırlar. Onları kullanmayı bıraktığınızda artık anlamları yoktur.

İkinci dikkatin düşünün sonunda insan biçimi parçalanmaya başlar ve gerçekliğiniz bir kez daha değişir. Değişir çünkü artık dünyayı katı inançlar çerçevesinden algılamıyorsunuzdur. Savaş sona ermiştir çünkü imanınız yalanlara bağlı değildir. Yalanlar hâlâ mevcut olsa da siz artık *inanmazsınız*. Bildiğiniz gibi, hakikat sadece "olur"; ona inanmak zorunda değilsiniz. Artık hiçbir şeye inanmaz ama görürsünüz, gördüğünüz ise hakikattir. Hakikat tam oradadır; benzersiz ve kusursuzdur. Belki sizin yorumladığınız gibi değil, belki sözü kendinize ya da başkalarına dair dedikodularda kullandığınız şekliyle değil ama bir kez hakikati gördüyseniz başkalarının ne düşler gördüğü kimin umurunda? Çevrenizdekilerin düşlerinde ne gördükleri önemli değildir. Önemli olan kendi deneyiminizdir; inandığınızla yüzleşmek için sahip olduğunuz tüm araçları kullanmak, hakikati görmek, bireysel savaşınızı kazanmak.

Kimseyle rekabete girmek zorunda değilsiniz, kendinizi kimseyle kıyaslamak zorunda değilsiniz. Yalnızca neyseniz o olmanız gerek; sevgi olmanız gerek ama *gerçek* sevgi, ruhunuzu ele geçirip sizi aşka inandıran sevgi değil. Başkalarını sahiplenip kıskanmanıza yol açan ve sizi doğrudan tüm işkence ve cezalarıyla cehenneme yollayan sevgi değil. Adına fedakârlık yaptığınız ya da adına kendinizi ve diğerlerini incittiğiniz sevgi değil. Sevgi sembolü öyle çok çarpıtıldı ki... Gerçek sevgi doğuştan sizinle gelendir. Gerçek sevgi olduğunuz haldir.

Onu oluşturmak için gereken ne varsa, onlarla doğdunuz. Bugün korkularınızla yüzleşirseniz, yarın ikinci dikkatin düşü savaşçılar âlemini görürsünüz. Korkuya karşı bugün kazanmanız, savaşı kazandığınız anlamına gelmez.

Hayır, savaş bitmedi; savaş yeni başlıyor. Hâlâ yargılıyorsunuz, hâlâ aynı sorunlar var. Tam bitti derken, pat! Zorbanız geri gelmiş. Ya, evet; tekrar tekrar. Sadece sizin içinizdeki zorba da değil; çevrenizde kim varsa hepsinin içindeki zorba, üstelik bazıları diğerlerinden çok daha beter. Ama yıllardır savaşta olsanız da hiç değilse kendinizi savunabilirsiniz. Bir savaşçı olarak, savaşı kazanabilir ya da kaybedebilirsiniz ancak bir kez bilinçlenince kurban olmaktan çıkarsınız. Savaş bitene kadar savaştasınız ve şu anda insanların çoğunluğu aynı yerdeler.

İkinci dikkatin düşünde yeryüzünde kişisel cennetinizi yaratmaya başlarsınız. İmanınızı, *hayatı* destekleyen, neşenize, mutluluğunuza, özgürlüğünüze katkıda bulunan anlaşmalara yöneltmeye başlarsınız. Ancak bu, evrimleşmenizin sadece bir adımıdır. Bundan çok daha fazlası vardır. Farkındalıkta yani hakikatte ustalaşacağınız an yakındır. Üstelik bu arada dönüşümde; sevgi, niyet ya da imanda da ustalaşırsınız. Çünkü artık kendinize inanıyorsunuzdur.

Bu dönüşümün sonucu ilk iki düş ile aynı çerçeveye sahip bir başka gerçekliğin yaratılmasıdır ancak bu diğer gerçeklikte eskiden inandıklarınıza artık inanmazsınız. Öğrendiğiniz yalanlara, hatta öğrendiğiniz kelimelere bile inanmazsınız. Deneyimlediklerinizle, kim olduğunuzla ilgili en ufak bir kuşkunuz yoktur.

Bir sonraki düş, üçüncü dikkatin düşü, o kadar da uzak değil. Ama önce kafanızdaki savaşı kazanmanız gerek ve artık bunu yapacak araçlar elinizde. O halde neden yapılmasın? Eyleme geçin ama artık *denemeyin*. Denerseniz, ölürken de denemeye devam edeceksiniz demektir ve sizi temin ederim, deneyerek ölen milyonlarca savaşçı var. İnsan zihninde süregelen savaşı kazanan pek az savaşçı vardır ama dikkatlerini ikinci kez kullanarak kazananlar tüm dünyalarını yeniden yaratmışlardır.

11

ÜÇÜNCÜ DİKKATİN DÜŞÜ
Ustalar

İKİNCİ DİKKATİN DÜŞÜ hayatımızda *kıyamet günü* dediğimiz o çok önemli olayla sona erer. Kendimizi ya da bir başkasını son kez yargıladığımız zamandır bu. Hem kendimizi hem de başkalarını tam olduğu gibi kabul ettiğimiz gündür. Bu son yargı günümüz geldiğinde kafamızdaki savaş sona erer ve *üçüncü dikkatin düşü* başlar. Üstelik bu dünyamızın hem sonu hem de başlangıcıdır çünkü artık savaşçıların düşünde değil, benim *Ustaların Düşü* dediğim üst dünyadayızdır.

Ustalar eski savaşçılardır. Bireysel savaşlarını kazanmış, huzura ermişlerdir. Ustaların düşü hakikat rüyasıdır, saygı rüyasıdır, sevgi ve coşku dolu bir düştür. Hayatın oyun parkıdır; amaçlanan yaşantımızdır ve ancak farkındalık bizi oraya götürebilir.

Pek çok din, kıyamet gününden sanki günahkârlar için bir cezaymış gibi söz eder. Pek çok din onu Tanrı'nın biz kullarını yargılamaya gelip tüm günahkârları yok ettiği gün olarak tasvir eder. Bu doğru değildir. Kıyamet günü, kadim Mısır mitolojisinden gelen Tarot'daki bir karttır. Gizem okullarının söz ettiği kıyamet gününü iple çekeriz çünkü ölülerin mezardan çıktıkları, yani dirildiğimiz gündür. Farkındalığımızı yeniden kazandığımız ve yeraltı âlemi düşünden uyandığımız gündür. Yeniden yaşamaktan artık korkmadığımız gündür. Gerçek durumumuza, kutsal benliğimize, var olan her şeyle bir kutsal sevgi bütünlüğü içinde olduğumuzu hissettiğimiz yere döndüğümüz zamandır.

Dirilmek, dünyanın her yerindeki gizem okullarından gelen harika bir kavramdır. Semboller vasıtasıyla öğrendiğiniz her şeyin hakikat olmadığının bir kez farkına vardığınızda, geriye hayattan keyif almak kalır ki diriliş işte budur. Her şeye semboller yoluyla anlam verdiğinizde, dikkatiniz bir anda pek çok şeye dağılır. Her şeyden anlamı çıkarttığınızda, kutsal birlik içinde ve kendiniz için tam olursunuz. Var olan yegâne canlı sizsinizdir. Sizinle gökyüzündeki bir yıldız arasında ya da sizinle çöldeki bir kaya arasında hiç fark yoktur. Tüm varlıklar tek canlı nesnenin parçasıdır. Bu hakikati bir an için olsun yaşadığınızda, inanç sisteminizin tüm yapısı kaybolur ve o harika cennet düşüne girersiniz.

Bugün diğerlerinden farksız bir gün olabilir veya bir kutlama günü, diriliş gününüz, hayata dönerek tüm dünyanızı değiştirdiğiniz gün olabilir. Gerçek olduğunu *sandığınız siz*in mezarından, *gerçekte* olduğunuz size dönüşerek çıktığınız gündür.

Üçüncü dikkatin düşünde nihayet ne olduğunuza dair farkındalığa erersiniz ama bu sözlerle gerçekleşmez. Ne olduğunuzu açıklayacak söz bulunmadığından huzura geri dönersiniz; orası ne olduğunuzu bilmek için sözleri kullanmanın gerekmediği yerdir. Ezoterik felsefelerde ustaların çıraklarına açıkladıkları işte budur. Erişebileceğiniz en üst nokta, sembollerin ötesine geçip hayatla, Tanrı ile bir olmaktır.

Kadim dinler Tanrı'nın adını kimse söyleyemez derler ve bu kesinlikle doğrudur, çünkü Tanrı'yı tasvir edecek hiçbir sembol yoktur. Onu tanımanın tek yolu Tanrı olmaktır. Tanrı haline geldiğinizde, "Ha, sembolünü bu nedenle öğrenememişim" dersiniz. Gerçek şu ki bizi yaratanın adını biz bilmeyiz. *Tanrı* kelimesi sadece *gerçekte* var olanı temsil eden bir semboldür ve ben bu söze direniyorum çünkü çok fazla çarpıtılmış bir sembol o. Tanrı'yı betimlemek için sembol kullanacaksak, sembollerin anlamı üzerinde mutabakata varmak zorundayız, o zaman da hangi bakış açısını kullanacağız? Milyarlarca farklı bakış açısı mevcut. Bir sanatçı olarak, ben Tanrı'yı sözcüklerle çizmek için elimden gelenin en iyisini yapmaktayım ve sunabileceğim tek şey bu; benim kişisel bakış açımdan Tanrı'nın resmi. Ne dersem diyeyim, elbette o sadece benim için hakikat olan bir hikâyedir. Bu size belki makul gelir belki de gelmez ama en azından benim kişisel bakış açım hakkında fikir sahibi olursunuz.

Ustaların düşünü açıklamak biraz zor çünkü gerçek öğreti kelimelerle değil, varlıkladır. Bir ustanın varlığını hissederseniz, kelimelerle öğrenebileceğinizden çok daha fazlasını öğrenirsiniz. Kelimeler deneyimin pek azını bile ifade edemez ama eğer hayal gücünüzü kullanırsanız, sizi deneyimi bizzat yaşayacağınız yere götürebilirler. Benim şu anki niyetim de bu; gerçekten ne olduğunuza dair farkındalığınızı, gerçekten olduğunuz sizi hissetmeyi *algılayabileceğiniz* noktaya kadar genişletmek.

Kelimeleri kullanmaktansa, belki sizi Tanrı'yı görebilmeniz için onunla yüz yüze bırakmak daha iyi bir yöntem olur. Ve ben sizi Tanrı ile yüz yüze getirdiğim zaman göreceğiniz şey kendiniz olacaktır. İster inanın ister inanmayın ama siz Tanrı'nın bir tezahürü, bir dışavurumusunuz. Bedeninizi *hareket* ettirenin ne olduğunu görebilseydiniz eğer *gerçek* Tanrı'yı görürdünüz. Elinize bakın. Parmaklarınızı kımıldatın. Parmaklarınızı hareket ettiren güç, Tolteklerin *niyet,* benim ise *can, sonsuz* ya da *Tanrı* dediğimdir.

Niyet, var olan tek canlı varlık ve her şeyi kımıldatan güçtür. Siz parmaklar değilsiniz. Siz onları hareket ettiren güçsünüz. Parmaklar size itaat ediyorlar. İstediğiniz açıklamayı yapın: "Beynim, sinirlerim..." Ama hakikati arıyorsanız, parmaklarınızı hareket ettiren güçle size düş gördüren güç aynıdır; bir tomurcuğa çiçek açtıran, rüzgârı estiren ya da kasırgayı yaratan veya yıldızları evrende gezdiren yahut elektronları atomun çevresinde döndüren. Tek yaşayan varlık var o da *sizsiniz*. Siz evrenler boyunca sonsuz biçimde tezahür eden güçsünüz.

O gücün ilk tezahürü [dışavurumu] ışık ya da enerjidir. İkisi aynıdır ve her şey bu enerji yoluyla yaratılır. Bilim insanları her şeyin enerjiden ibaret olduğunu bilirler. Evrende bu enerjiyi yaratan tek güç olduğuna göre, bu noktada bilim ile din birleşir ve biz ışık olduğumuz için Tanrı olduğumuzu anlarız. Buyuz işte biz; her şey budur, ışığın milyarlar ve milyarlarca farklı frekans ya da dışavurumu. Ve birlikte tüm farklı frekanslar sadece bir ışık yaratır.

Niyet ışığı yaratan güçtür ve ışığın niyetin elçisi olduğunu söyleyebiliriz çünkü o her yere giden hayat mesajını taşır. Işık, var olan her şeyi yaratacak bilgiye sahiptir; bütün yaşam biçimleri dahil. İnsanlar, maymunlar, köpekler, ağaçlar, hepsi. Dünya gezegenindeki tüm türler bilim insanlarının DNA dedikleri özel bir ışık huzmesi ya da frekansından yaratılmıştır. DNA'ların arasındaki fark minimal olabilir ancak dışavurumu insanla maymun, insanla jaguar ya da insanla ağaç kadar farklıdır.

Işığın pek çok özelliği vardır. Canlıdır. Yaşayan bir varlıktır ve son derece akıllıdır. Sürekli yaratır; sürekli dönüştürür ve yok edilemez. Işık her yerdedir ve her şey ışıkla doludur ama madde tarafından yansıtılmadıkça biz ışığı göremeyiz. Uzaya Dünya gezegeninden bir nesne fırlatırsak, o nesneyi ışığı yansıttığı için görürüz. Yıldızlar, galaksiler, bütün evrenler arasında hiç boşluk yoktur; demek ki tüm evrenler birbirine bağlıdır.

Siz tüm bir evrensiniz. Yeryüzü bir başka evren. Güneş ve çevresindeki tüm gezegenler başka bir evren. Bütün güneş sistemleri başka bir evren yaratır, böylece sonsuza dek devam edebiliriz, ta ki milyarlar ve milyarlarca farklı canlı varlık tarafından yapılmış bir canlı varlığı görünceye kadar.

Her canlı varlık bizim *ruh* dediğimiz bir güç tarafından korunur. Ruh bütün bir evreni birleştiren ve o varlığın bütünlüğünü tanıyan kuvvettir. Ruh maddeyi nüfuz edilmez kılarak varlıklar arasında bir bölünme olduğu görünümünü yaratır. Her şeye biçim veren ruhtur: Bu kuvvet olmadan sizinle bir çiçek ya da balık veya kuş arasında hiç fark kalmaz. Ruhunuz ana rahmine düşer düşmez doğmuştur ve kendinin her öğesini tanır; her molekül, hücre, varlığınızın her organını. Ruhunuz sizin evreninize ait her şeyi tanır, ait olmayanları ise reddeder.

Üçüncü dikkatin düşünde, bedeninizin milyarlarca canlı tarafından meydana gelmiş bütün bir evren olduğunun bilincine varırsınız; atomlar, moleküller, hücreler, dokular, organlar, sistemler tarafından oluşturulmuş, ta ki tüm evren bir oluncaya kadar. Zihnin bakış açısından ise, sanki tek bakış açısı varmış gibi görünür; sadece gözlerinizin arkasında olan. Ancak derin farkındalık içine girerseniz, bedeninizdeki her atomun farklı bir bakış açısı olduğunu, zira her atomun kendi canı olduğunu görürsünüz. Her atom tam bir evrendir; yıldızlar ve gezegenlerden ibaret minyatür bir güneş sistemidir o. Her evrenin ortak noktası da her birinin sonsuzun tüm gücüyle canlı olmasıdır.

Siz, o kuvvet, canlısınız, siz total güçsünüz. Siz hakikatsiniz, gerçeksiniz. Diğer her şey, semboller aracılığı ile öğrendikleriniz dahil, hakikat değil. Gerçek değil. Hepsi çok güzel birer yanılsama. Işık yalnızca akıllı değil, aynı zamanda hafızaya da sahiptir. Kendi kendinin imgesini, sizin zihninize dönüşen tüm yanılsamalar dünyasını, düş görme şeklinizi yaratır o. Düşleriniz madde değildir; maddenin bir yansımasıdır ve o yansıma bizim *beyin* dediğimiz maddenin içinde var olur. Beyin bir aynadan ibarettir. Dediğimiz gibi, aynaya baktığınızda gördüğünüz kendi zihniniz, kendi rüyanızdır.

Gözlerinizi ilk açtığınızda ışığı algılamaya başlarsınız ve ışık sizin öğretmeniniz olur. Işık gözlerinize anlamadığınız bilgiyi yansıtır. Ama siz ışığı algılamak için yaratılmışsınız, ışıkla bir olmak için, zira ışık sizin öteki yarınızdır. Işık olduğunuz için sürekli yaratıyorsunuz, sürekli dönüştürüyorsunuz ve sürekli evriliyorsunuz. Işık doğrudan beyninize gider ve beyninizi, sizi, sanal gerçekliği değiştirmek, kendisinin daha iyi bir yansıması yapmak üzere yeniden düzenler. Işık beyninizi düzenlerken, beyin de kendi kendine Tanrı'nın fabrikası DNA'yı sizden gelecek bir sonraki muhtemel canlı için düzenlemektedir.

Bedeninizin, tıpkı birlikte siz denen bütünlüğü oluşturan beyin, kalp, akciğer, karaciğer, mide, deri gibi farklı organları olduğu gibi, bedendeki her organ da o organı yaratan farklı hücrelerden oluşur. Hücreler bir arada sadece tek bir canlı, yani *siz* olduklarını bilirler mi acaba? Biz insanlar, tüm insanların birlikte *insanlık* denen tek bir canlı varlık olduğumuzu biliyor muyuz peki?

Milyarlarca insanla çevrilisiniz. Tıpkı sizin gibi, onlar da insan olmaya programlanmış. Dişi ya da erkek, onları tanırsınız; tıpkı sizin gibi insan olduklarını bilirsiniz. *Bilirsiniz.* Ama belki de bilmediğiniz, biz insanların bu güzel Dünya gezegeninin bir organı olduğumuzdur. Dünya gezegeni yaşıyor. Bir canlı varlık ve tüm insanlık o canlı varlığın bir organı olarak bu gezegen için çalışıyor. Ormanlar da başka bir organ, atmosfer bir başka organ; her canlı türü farklı bir organ ve hepimiz Dünya gezegeninin metabolizması olan bir dengeyi oluşturmak üzere birlikte çalışıyoruz.

İnsanlığın tamamı tek bir canlı varlık ve bu artık bir kuram olmaktan çıktı. Biz insanlar birlikte yaşıyoruz. Bedenlerimiz aynı türden, zihnimiz aynı cins, aynı ihtiyaçlara sahibiz. Bütün o sembolleri birbirimizi anlamak için yaratıyoruz. Erkek ya da dişi, kurban ya da savaşçı veya usta, hepimiz aynıyız. Hiçbir insan evrende var olan herhangi bir şeyden daha iyi ya da daha kötü değildir. Oluşumuzun en derin düzeyinde, bir insanla bir köpek, insanla pire ya da bir sinek veya çiçek arasında fark yok. Aynıyız, aynı yerden geliyoruz, hikâyemizin kökenlerinin ne olduğu fark etmez. Hıristiyan, Budist, Müslüman veya Hindu olsak da fark etmez. Aynı yerden geldik, aynı yere gidiyoruz.

Sonsuz, var olan her şeyi yaratır ve döngü sona erince, her şey sonsuza döner. Elbette beden ölür çünkü fanidir ama *siz*, o kuvvet, ölümsüzsünüz. Zihnin yaşadığı o kuvvette tek ölen yalanlardır. Eski Mısır'da "Öldüğünde yüreğin bir tüyden daha hafifse cennete hoş geldin. Eğer yüreğin tüyden ağırsa cennete gitmezsin" denirmiş. Yalanlar tekrar güç sahibi olamazlar ama hakikat olabilir çünkü o, gücün yansımasıdır, sonsuzun yansımasıdır. Soru şöyle değişir: Yalanların ne kadar ağır? Yüreğin öfke, korku ve pişmanlığın yükünü mü taşıyor?

Üçüncü dikkatin düşünde, hakikat tüm yalanları yıkmıştır bile. Hayatta kalan tek şey hakikattir, yani gerçek siz. O kuvvet sizsiniz. Siz hayatsınız, hayat ise hakikattir ve o noktadan itibaren rüyanız cennet olur. Rüyanız şahane bir sanat eserine dönüşür, sevginin şahane bir başyapıtı olur. Bu da sizi üçüncü Toltek ustalığına, *ustaca sevmeye* ya da niyet veya imanda ustalaşmaya yönlendirir. Ben ona imanda ustalaşmak demeyi tercih ediyorum çünkü sizi kendinize güvenmekte ustalaştırır; bu da sahip olduğunuz gücü idrak etmeniz anlamına gelir: niyetin gücünü, hayatın gücünü, sevginin gücünü. Bunların hepsi aynı güçtür tabii. *Total güç.*

İmanda ustalaştığınız anda hayatınızı sevgiyle yaşarsınız çünkü sevgi sizin mayanız olan harika bir şeydir. O anda bedeninizi, duygularınızı, hayatınızı, hikâyenizi bütünüyle kabullenirsiniz. Kendinize saygı duyarsınız, tüm sanatçılara, tüm kız ve erkek kardeşlerinize, bütün yaratılmışlara saygı duyarsınız. Kendinizi koşulsuzca seversiniz ve sevgiyi ifade etmekten, başkalarına "seni seviyorum" demekten korkmazsınız. İmanın ustası olduğunuzda, hayatınızı sevgi içinde yaşadığınızda, kendi sevginizin hikâyenizdeki her yardımcı karaktere yansıdığını görür, bütün yardımcı karakterleri tıpkı kendinizi sevdiğiniz gibi koşulsuzca seversiniz.

Bu sizin tüm diğer insanlarla olan ilişkinizi değiştirir. Sizi tamamen kişiler üstü yapar. Birini sevmek ya da sevmemek için nedenlere ihtiyacınız kalmaz, sevmeyi *seçmeniz* bile gerekmez çünkü sevgi sizin doğanızdır. Güneşten ışık nasıl yayılırsa sizden de sevgi öyle yayılır. Tüm doğanız, hiçbir beklentisi olmaksızın, tam olduğu gibi sizden yayılmaktadır. Ve sevginin kafanızın içindeki sözcüklerle de hiç ilgisi yoktur. Hiç hikâye yoktur. Bu bizim *kutsal birleşme* dediğimiz bir deneyimdir. Anlamı, sevgiyle aynı frekansa, aynı titreşime sahip olmaktır. Konuşmayı öğrenmeden önce işte böyleydiniz, cehennemin dibindeki ilk dikkatin düşünden daha iyi bir düşe doğru evrim geçirdiniz, ikinci dikkatin düşüne geçtiniz; ta ki üçüncü dikkatin düşünü görene kadar. Orada, gördüğünüz her şeyin, düşlediğiniz her şeyin ışıkla yapılmış bir sanal gerçeklik olduğunuz bilirsiniz.

Binlerce yıldan beri insanlar her insanın içinde üç dünya olduğunu bilirler. Hemen her felsefe ve mitolojide, insanların her şeyi üç dünyaya böldüklerini ama onlara farklı adlar verip farklı tanımladıklarını görüyoruz. Sanatçı geleneğinde, yani Toltekler'de gördüğümüz gibi, bu üç dünya *ilk dikkatin düşü, ikinci dikkatin düşü* ve *üçüncü dikkatin düşü* olarak bilinir. Eski Yunan ve Mısır'da bunlara *alt dünya, dünya* ve *üst dünya* denirdi. Günümüzün tek Tanrılı büyük dinlerinde ise *Cehennem, Araf* ve *Cennet* olarak bilinirler.

Bugün sahip olduğumuz dünya kavramı insanların binlerce yıl önceki anlayışlarından çok farklıydı. Onlar için dünya bir gezegen değil, algılayabildiğimiz, bildiğimiz her şeydi. Bu nedenledir ki her kafa bir dünyadır denilirdi. Zira her birimiz dünyayı kendi kafamızda yaratır, sonra da o dünyada yaşarız. İnsanların çoğu ilk dikkatin düşü öte dünyada yaşarlar. Geniş bir bölümü de ikinci dikkatin düşü savaşçılar dünyasında yaşar ve insanlığın doğru yöne gidip evrim geçiriyor olması bu düş sayesindedir.

Genel inancımız üst dünyanın iyilik, alt dünyanın ise korku ve kötülüklerle dolu olduğu yönündeyse de, bu tam olarak doğru değildir. Her üç dünya bütün insanların içinde bulunur. Üst dünya gibi alt dünyayı da içimizde taşırız. Üst dünyada olduğu gibi alt dünyada da sonsuzluk vardır ve ikisi yaşadığımız yer olan bu dünyada birleşirler. Alt dünyanın yolu tıpkı üst dünyanın yolu gibi bir seçim haline gelir.

Ustaların düşünde, seçim yapmanın elimizde bir güç bulunması olduğunun bilincindeyiz. Tüm düşümüzü seçimler yaparak kontrol ederiz. Her seçimin sonuçları vardır ve bir düş ustası bu sonuçların farkındadır. Seçimler pek çok kapıyı açabildiği gibi, çoğunu da kapatabilir. Seçim yapmamak da yapabileceğimiz bir tercihtir. Seçimler yaparak düş görme sanatının ustası olabilir, en güzel hayatı yaratabiliriz.

Herhangi birisi büyük bir düş sanatçısı olabilir ama ustalık düşümüz, üzerinde tam kontrolümüz olduğunda gelir ki bu da kendi dikkatimizin tüm kontrolüne sahip olmamız demektir. Hayatımızın düşü, nereye gitmesini istiyorsak oraya gider.

İnsanların sıradan düşlerinde, inanç sistemi dikkati kontrol eder. Kişisel gücümüz, irademiz zayıf olduğundan, dikkatimizi isteyen istediği yöne çekip zihnimize bir fikir yerleştirebilir. İrade ya da niyet mevcut olanı harekete geçiren kuvvettir. Dikkati tutan ve hareket ettiren, iradedir. Bir kez irademizi kullanmaya yetecek güce sahip olduğumuzda, dikkatimiz üzerinde kontrolümüz olur. Sonunda da inançlarımızı kontrol eder hale gelip düşümüzün kontrolünü ele geçirme savaşını kazanırız.

Üçüncü dikkatin düşünde dikkatimiz hayat üzerinde değildir. Hayat biziz, kuvvet biziz, niyet biziz ve niyet dikkati kontrol edendir. Üçüncü dikkatin düşü saf niyet düşüdür. Hayat olduğumuzun bilincine varırız; yalnızca bir kavram olarak değil ama eylem olarak, tam farkındalık olarak. Artık hakikat gözüyle görebiliriz ve bu tamamen farklı bir bakış açısıdır.

İlk kez rüya görmeyi öğrendiğinizde, inanç sisteminiz hakikate karşı milyonlarca minik engel yaratır. İnanç sisteminizin yapısı ortadan kalkarsa engelleri de kaldırırsınız ve artık gördüğünüz sadece tek bakış açısı değildir. Aynı zamanda görebildiğiniz pek çok bakış açısı vardır. Kendinizi sadece insan açısından değil kuvvet açısından da görürsünüz. Yalnızca kuvvet olarak değil o kuvvetin dışavurumu olarak da görürsünüz. Işık olduğunuzu, sadece ışıktaki bir imge olduğunuzu bilir, dikkatinizi düşe ışığın açısından tanık olmaya verirsiniz. Dışınızda ne varsa hepsini artık sizden ayrıymış gibi görmezsiniz. Her şeyde kendi tamlığınızı hissedersiniz. Kendinizi, tek canlı varlık olarak hisseder, hissetmekle de kalmaz; bilirsiniz. Daha önce dediğimiz gibi, ne olduğunuzu anlarsınız ama sözlerle değil. Sembollere ihtiyacınız yoktur. Ne olduğunuzu anlamak için sembollere başvurursanız, kendinizi anlamaya çalışırken sembollerin içinde kaybolabilirsiniz.

Kendinize *insan* adını vermişsiniz, belki de bu sembolle özdeşleşmişsiniz ama Çin'de insan değilsiniz; İspanya'da insan değilsiniz; Almanya'da insan değilsiniz. *İnsan*, yalnızca bir sembol ve bu sembolün anlamı nedir? Koca bir kitap yazar, *insan*ın anlamını betimlemek için binlerce sembol kullanabilirsiniz ama hâlâ eksik vardır, o da tek bir semboldür! Sembolleri kullanarak ne olduğunuzu anlamak, saçmalıktan başka bir şey değildir. Kendinizi ne *sanıyorsanız*, o asla hakikat olmayacaktır.

Bir kediye, "Hey, köpek!" diye seslenseniz umurunda olmaz. Cevap vermeyecektir. Bir insana, "Hey, sen köpek!" derseniz o kişinin "Ben köpek değilim!" diye cevap vereceği kesindir. Bazıları alınacak, bazıları da gülecektir; kimine acıklı kimine komik gelecektir çünkü farklı bakış açıları var karşımızda. Hayvanların ne olduklarına dair sembolleri bilmeleri gerekiyor mu? Ne biliyorlar ne de umursuyorlar. Sadece varlar. Varlıklarını doğrulamak için sembollere ihtiyaçları yok.

Eğer birisi bana ne olduğumu sorsa, "Ben bir insanım. Erkeğim. Enerjiden oluşuyorum. Bir babayım. Doktorum" diyebilirim. Ne olduğumu tanımlamak, doğrulamak, kendimi anlamaya çalışmak için sembolleri kullanabilirim. Ama semboller aslında bir anlam taşımıyorlar. Doğrusu ben ne olduğumu bilmiyorum. Bildiğim tek şey, varım. Canlıyım ve bana dokunabilirsiniz. Düş görüyorum ve gördüğümün farkındayım. Bunun dışında, hiçbir şeyin önemi yok çünkü her şey sadece bir hikâye. Semboller bana asla ne olduğumu, nereden geldiğimi söylemeyecekler. Bunun pek de önemi yok çünkü ben nasılsa oraya geri gideceğim. İşte bu yüzden benim en büyük çizgi roman kahramanım Temel Reis'tir. Temel Reis şöyle der; "Ben neysem oyum ve bütün olduğum budur." Bilgelik bu. Tam kabullenme yani ne olduğuma dair tam saygı; çünkü ben hakikatim. Belki söylediklerim hakikat değil ama *ben* hakikatim ve sizin için de aynı şey geçerli.

Siz canlısınız; varsınız. Bu doğru ama siz nesiniz? Gerçek şu ki, bunu bilmiyorsunuz. Siz sadece bir şey olduğunuzu sandığınızı biliyorsunuz, ne olduğunuzu öğrendiyseniz onu biliyorsunuz, size ne olduğunuz söylendiyse onu biliyorsunuz, neymiş gibi yaptığınızı biliyorsunuz, başkalarının gözüne nasıl görünmek istediğinizi biliyorsunuz ve sizin için bu doğru olabilir. Ama ne söylüyorsanız o olduğunuz *gerçekten* doğru mu? Sanmıyorum. Kendinizle ilgili ne söylerseniz, o yalnızca sembolojidir ve inançlarınız nedeniyle tamamen çarpıtılmıştır.

Nihayet kendinizi tüm bilgi birikiminiz olmaksızın gördüğünüzde, sonuç; *Ben*'dir. Ben neysem oyum; sen neysen osun; farkı yaratan, senin sen olmaya dair tam kabulündür. Ne olduğunuzu tam kabullendiğinizde hayatın keyfini çıkartmaya hazırsınızdır. Artık yargılama, suçluluk, utanç, pişmanlık yoktur.

Sembolleri bir kenara bıraktığınızda, geriye kalan saf ve basit çıplak gerçektir. Ne olduğunuzu bilmeye ihtiyacınız yoktur ve bu muazzam bir açılımdır! Olmadığınız bir şeymiş gibi yapmanıza gerek yoktur. Tamamen sahici olabilirsiniz. Ve bu sayede mesajı dağıtabilirsiniz. Mesaj, sizin gerçek olduğunuz. Sizin *varlığınız* mesaj! İlk çocuğunuz doğduğunda ve nihayet onu kollarınıza aldığınızda hissettiğiniz varlıkla aynıdır. Kutsallığın varlığını ellerinizde, hiçbir şey anlamaksızın, kelimeler olmaksızın hissedebilirsiniz.

Her yeni doğmuş bebeğin varlık hissi aynıdır. O Tanrı'dır, sonsuzdur, bir meleğin vücut bulmasıdır ve biz yeni doğmuş bir bebeğin huzurunda tepki vermek üzere programlanmışızdır. Bebeğin tek kelime etmesi gerekmez; onun varlığı her şeyi anlatır. Yalnızca varlığı verme, koruma içgüdülerini uyandırır. Hele kendi bebeğiniz olunca, bu içgüdü daha da güçlüdür. O zaman varlık gerçekten inanılmaz bir şeydir. O var olma hali sizdeki cömertliği uyandırır ve hiçbir karşılık beklemeden, belki çocuk büyüyüp o varlık hissi kaybolmuş gibi görünene kadar, ona vermeye başlarsınız.

Siz doğduğunuzda, varlığınız çevrenizdekilerde sizi koruma, size bakma, ihtiyaçlarınızı karşılama içgüdüsünü uyandırmaya yetmişti. O havanız hâlâ mevcut ama uzun süreden beri bastırılmış halde. Dışarı çıkmayı bekliyor. Varlığınızı gerçekten hissetmeniz için tamamen farkında olmanız gerek; tüm yaratılışınızı tamamen başka bir açıdan, her şeyin çok basit olduğu bir yerden görmeniz gerek. Farkında değilseniz her şey tamamen mantıksız görünür, korku baskın çıkar ve büyük *mitote*'yi yaratır.

Beşinci anlaşma ne olduğunuzu yeniden bulmanızın çok önemli bir kısmıdır çünkü etkisinde olduğunuz tüm o büyüleri bozmak için kuşkunun gücünden yararlanır. Uzun zaman önce kaybettiğiniz varlığınızı geri kazanmanız için bu çok güçlü bir niyettir. Tüm dikkatiniz hikâyenizde olmadığı zaman, neyin gerçek olduğunu görürsünüz, *hissedebilirsiniz*. Bir sembolojinin büyüsüne kapılmadığınız zaman doğduğunuzda sahip olduğunuz varlığınızı yeniden kazanırsınız ve çevrenizdekilerin duyguları sizin varlığınıza tepki verir. O zaman insanlara gerçekten sahip olduğunuz tek şeyi, kendinizi, varlığınızı verirsiniz ve ortaya büyük bir fark çıkar. Ama bu ancak tamamen samimi olduğunuzda gerçekleşir.

Çok küçük bir çocukken, hiçbir sembole anlam veremediğiniz, enformasyonun kafanızı işgal etmediği zamanları hatırlamaya çalışın. Varlığınızı yeniden bulunca, tıpkı bir çiçeğe, rüzgâra; tıpkı okyanusa, güneşe, ışığa benzersiniz. Siz tıpkı *size* benzersiniz. Doğrulayacak, inanacak hiçbir şey yoktur. Burada sadece olmak için bulunuyorsunuz. Hayattan zevk almaktan, mutlu olmaktan başka amacınız yok. Tek olmanız gereken, *gerçek* siz olmak. Sahici olun. Varlık olun. Mutluluk olun. Sevgi olun. Coşku olun. Kendiniz olun; esas mesele bu. Bilgelik bu.

Henüz bilge olmayanlar mükemmeliyet peşindedir; Tanrı'yı ararlar; cenneti arayıp bulmaya çalışırlar. Oysa arayacak bir şey yoktur. O zaten oradadır. Her şey sizin içinizdedir. Cenneti aramanıza gerek yok; şu anda cennettesiniz. Mutluluğu aramanıza gerek yok; şu anda neredeyseniz mutluluk orada. Hakikati aramak zorunda değilsiniz; hakikat sizsiniz. Mükemmelliği aramak zorunda değilsiniz. O bir yanılsamadır. Kendinizi aramak zorunda değilsiniz, hiç terk etmediniz kendinizi. Tanrı'yı aramanız gerekmez. Tanrı sizi asla terk etmedi. Tanrı hep sizinle; siz her zaman kendinizlesiniz. Eğer onu her yerde görmüyorsanız, nedeni dikkatinizin *gerçekten* inandığınız tüm o tanrılara odaklanmış olmasıdır.

Sonsuzun varlığı her yerdedir ama eğer siz karanlıktaysanız, olanı görmezsiniz. Görmezsiniz çünkü gördüğünüz ancak kendi bilginizdir. Kendi yaratımınızı o düşün içinden ilerletirsiniz ve bilginiz hayatınızda olup biteni açıklayamaz olunca kendinizi tehdit altında hissedersiniz. Bildiğiniz, bilmek istediğinizdir ve bilginize tehdit oluşturan her şey sizi güvensiz hissettirir. Ama bir an gelecek, bilginin bir düşün betimlenmesinden başka bir şey olmadığını anlayacaksınız.

Siz bilmeyensiniz. Burada yalnızca bu anda, bu rüyada olmak için varsınız. Olmakla bilmenin hiçbir ilgisi yoktur. Olmak anlamakla ilgili değildir. Anlamanız gerekmez. Öğrenmekle ilgili değildir. Siz öğrendiklerinizi tersine çevirmek için buradasınız; ta ki bir gün hiçbir şey bilmediğinizi anlayana kadar; hepsi bu. Tam inandığınızı, öğrendiğinizi bilirken, bunun hakikat olmadığını keşfediyorsunuz. Tüm zamanların en büyük filozofu Sokrates'in, "Bana gelince, tek bildiğim, hiçbir şey bilmediğimdir" diyecek noktaya gelmesi bir ömür sürmüştür.

12

DURU GÖRÜLÜ OLMAK
Yeni Bir Bakış Açısı

İKİ BİN YIL ÖNCE, bir büyük usta "...ve hakikati bileceksin ve hakikat seni özgür kılacak" demiş. Biliyorsunuz ki hakikat siz olandır. Bir sonraki adım, hakikati, ne olduğunuzu *görmek*tir. Ancak o zaman özgür kalabilirsiniz. Neden özgür kalacaksınız? Bilginizdeki tüm o çarpıtılmışlıktan, yalanlara inanmanın bir sonucu olan tüm o duygusal dramlardan... Hakikat sizi özgür kıldığında, öğrendiğiniz semboller artık dünyanızı yönetmez olur. O zaman, konu haklı veya haksız, iyi ya da kötü olmak değildir. Kazanan ya da kaybeden olmak değildir. Genç ya da yaşlı, güzel ya da çirkin olmakla ilgili değildir. Bütün bunlar bitti. Sembolden başka bir şey değildi onlar.

Artık büründüğünüz kişilik olma zorunluluğu kalmayınca, tamamen özgürleştiğinizi bileceksiniz. Bu derin bir özgürlük, gerçek siz olma özgürlüğü ve kendinize verebileceğiniz en büyük armağan.

Korku, yargılama, suçlama, utanç olmaksızın yaşadığınızı hayal edin. Hayatınızı, başkalarının görüşlerini hoş tutmaya hatta kendi yasa kitabınızdaki bakış açınıza göre kendinizi hoşnut etmeye bile çalışmadan yaşadığınızı hayal edin. Kendinizle başlayarak minnet, coşku, sadakatle yaşarsanız, hayatınızın ne kadar farklı olacağını hayal edin. Bedeninize tamamen sadık olduğunuzda, ona büyük minnet duyduğunuzda, ona iyi davrandığınızda bedeninizle aranızda yaşayacağınız birleşmeyi düşünün. Yalnızca kendiniz olmayı, kimseyi ve hiçbir şeyi ikna etmeye çalışmadığınızı düşünün. Sadece kendiniz olmakla mutlu olduğunuzu, nereye giderseniz cennetin sizinle geldiğini, onun *içinizde* olduğunu hayal edin. Bu tür bir özgürlükle yaşadığınızı düşünün. Evet, hakikat sizi özgür kılacaktır ama önce onu *görmeniz* gerekir.

Sizin, hikâyenizin hakikat olup olmadığını görmenizi istiyorum. Yargılamadan, *olana* bir kez tanık olun çünkü her ne yaratıyorsanız, o mükemmeldir. Çevreyi görün, etrafınızdaki düşünüzün çerçevesini görün. İnançlarınızı, hayat hikâyenizde yansıtıldıkları şekilde görün. Dikkatinizin tüm düşünüzü götürdüğü yeri görün. *Düşünün* demek istemiyorum. *Görün* demek istiyorum. Düşünmekle görmek aynı şey değil. Gördüğünüz hakikat mi?

Hakikat değilse artık ona inanmak zorunda olmadığınızı biliyorsunuz. İnanmak yerine *görmeyi* öğrenin. İnandıklarınızı hemen bilginize göre çarpıtırsınız. Ama bilgiden koparak sembollerin ötesinde geçtiğinizde hayatınızın bir noktasında duru görü sahibi olmaya başlarsınız. Duru görülü insan düş ustası olmuş bir düşçüdür, *görmeyi* öğrenmiştir. Sanatçı, elçi, duru görülü; sizi adlandırmanın öyle çok yolu vardır ki. Ben size sanatçı demeyi yeğlerim çünkü tüm yarattıklarınız sanatsal bir başyapıttır.

Yarattıklarınızı görmeniz için bir fırsattır bu, *olanı*, hakikati görmek için. Ama önce hakikat olmayan yani batıl inanç veya yalan olmayan ne varsa bırakmanız gerekir. Hakikati davet etmeye niyetliyseniz hikâyenizin, tüm söylediklerinizin asılsız olduğunu anlarsınız. Kendi hikâyenizin hakikat olmadığını biliyorsunuz. Yalnızca siz olmayanı bırakmanız gerekir, geçmişinizi bırakmanız, hikâyenizden kopmanız gerekir çünkü hikâyeniz *siz* değildir. Kendinize söylediğiniz tüm yalanlara inanmadığınız anda, ne kadar acı verici olursa olsun, hakikatin yalanlara inanmaktan bir milyon kez daha iyi olduğunu keşfedersiniz.

Her romanda, her filmde ya da gerçek yaşam oyununda hikâyenin doruk noktası hakikat anıdır. Ondan önce hikâyede sürekli bir tırmanış vardır. Hakikat bir gelgit dalgası gibi gelip tüm yalanları silip süpürünceye kadar gerilim tırmanışını sürdürür. Kriz anında, yalanlar hakikat huzurunda yaşamlarını sürdüremeyip kaybolurlar. Artık gerginlik yoktur. Hakikatle barış geri döner ve dram bittiği için rahatlarız.

Elbette, kendi hikâyenizde hakikat içeri girince inandığınız ne varsa tehdit altına girer. Korku egemen olur ve "İmdat! Hayatımın tüm düzeni, inandığım ne varsa, hepsi dağılıyor. Yalanlarım olmazsa ben ne yaparım? Bundan böyle her şeye inanmazsam, dedikodu yapmazsam, söyleyecek hiç sözüm kalmaz ki!" *Tamamen öyle!* Size anlatmaya çalıştığım buydu işte.

Bana soruyorlar: "Sembollere artık inanmazsam, her kelimeden inancımı çıkartırsam, kimseyle iletişim kuramam ki! Bildiklerimin temeli olmadan nasıl hayatta kalabilirim?" Görüyorsunuz, zihinlerinde kuşkunun gücü harekete geçmiş, üstelik eskisinden çok daha fazla.

Konuşmayı öğrenmeden önceki halinizi, tıpkı diğer hayvanlara benzediğiniz dönemi hatırlarsanız, o zamanlar sözler olmaksızın iletişim kurabildiğinizi göreceksiniz. Hiç aklınızı ve sözcükleri kullanmadan, ta eskiden nasıl olduğunuzu hatırlamanızı, konuşmayı öğrenmeden öncesine, sahip olduğunuz sahiciliğe giderek hakikati deneyimlemenizi istiyorum. Tam yüreğinize dönüp sözler olmadan hakikati aramanızı, sahici sizi bulmanızı ve tüm gücünüzle ortaya çıkartmanızı istiyorum.

Kendinize dönme yolculuğunun doruk noktası, kendinizi nihayet hakikat gözüyle göreceğiniz andır. Sahici benliğinizi görebilirseniz gördüğünüzü seveceksiniz. Varlığınızın ihtişamını; ne kadar güzel ve harika olduğunuzu göreceksiniz. İçinizdeki kusursuzluğu görünce başkalarının kafanıza soktuğu kuşku dağılır. Işık ve *hayat* olduğunuzu görürsünüz. Kutsallığınızı kabullenince de hayatın daha iyi bir yansıması haline gelirsiniz.

Hayattan zevk almak için buradasınız; ne kişisel dramınız ne de kişisel öneminizden dolayı ıstırap çekmek üzere değil. Siz o değilsiniz. Sizin varlığınızın parçası değil o. Siz daha iyi bir düşçü olmak için, sanatçı olmak için, duru görülü olmak için buradasınız. Ama sadece kendi hikâyenizi, kendi yaralarınızı, kendi kurbanlaşmanızı gören gözleriniz varsa duru görülü olamazsınız. Hâlâ annenizin size yirmi ya da kırk yıl önce yaptıklarına veya babanızın ya da eşinizin yaptıklarına; hikâyenizdeki diğer yardımcı oyuncuların size ettiklerine takılıyorsanız, o zaman hakikati görmüyorsunuz demektir. Bütün o oyuna odaklandıysanız, sizinle konuşmanın duvarla konuşmaktan farkı yoktur. Bunlar hiç çağrışım yapıyor mu size?

Duru görülü olmazdan önce hayatın sadeliğinden uzaksınızdır; hem de çok uzak. Her şeyi gördüğünüze inanırsınız. Başkalarına dayatmaya çalıştığınız öyle çok büyük büyük fikirleriniz vardır ki. Oysa duru görülü olduğunuzda her şey değişir. Duru görüye sahip biri olarak, insanların nelere öykündüklerini, neleri ifade ettiklerini, ne olduklarına inandıklarını görürsünüz. Hakikatin bu olmadığını bilirsiniz; herkesin numara yaptığını bilirsiniz. Ne olmuş gibi yaparlar? Bilemezsiniz; aynen öyledir. Yarattığınız bütün o yardımcı oyuncuların zihinlerini okuyamazsınız. *Siz*, kendiniz numara yaptığınızın da zaten neredeyse farkında değilsinizdir. Ama bütün o öykünmenin arkasında görebildiğiniz şey, gerçek insandır. Ve o gerçek insanı nasıl olur da sevmezsiniz? Tıpkı sizin gibi, o da sonsuzdan gelir. Gerçek insanın bilginin sesinden gelen sembollerle hiç işi yoktur.

Duru görülü olunca, hikâyenin *arkasında* yatanı görürsünüz. Başkalarını anlarsınız ama onlar kendilerini anlamazlar. Sizi anlamalarına da ihtimal yoktur üstelik anlamak zorunda da değillerdir. İnsanların çoğunda sizdeki farkındalık yoktur. Neden "oldukları gibi" olduklarından haberleri yoktur. Hiçbir fikirleri yoktur; hayatta kalmak için yaşarlar. Herkese inanmak zorunda olmadıkları halde, herkese inanırlar. Kendilerine bir nebze dahi güvenmezler; ne kadar müthiş olduklarına dair en ufak fikirleri yoktur. Sadece onları bir sis perdesi gibi saran bilgilerini görürler. Körkütük sarhoş binlerce insanın içinde tek ayık olduğunuzu hayal edin bir. Öyle insanlarla bir şeyleri tartışabilir misiniz? Gerçekten onlara inanmak ister misiniz? Ağızlarından çıkan hiçbir şeyin hakikat olmadığını bilirsiniz. Bilirsiniz çünkü siz de bir zamanlar sarhoştunuz ve söyledikleriniz doğru değildi.

Farkındalıkla, o zihinlerin oldukları kişi haline gelmeye nasıl hazırlandıklarını kolayca görürsünüz. Ama sadece farkındalığa sahip olmanız, başkalarından daha iyisiniz demek değildir. Farkında olmak sizi üstün yapmaz, daha akıllı da yapmaz. Akılla hiç ilgisi yoktur. Bunu bilmekle son derece alçakgönüllü olursunuz. Hiç umurunuzda değildir. Ama iki türlü "umurumda değil" vardır. Birisi, ilk dikkatin düşündeki kurbanınkidir ki bu sadece bir yalandır çünkü kurbanlar aslında umursarlar ve çabuk kırılıp yaralanırlar. Tüm o zehir dolu duygusal yaralar ve "hiç umurumda değil" diyen bir savunma mekanizması vardır onlarda. Elbette umursarlar ve elbette siz o "umurumda değil"e inanmazsınız.

Duru görü sahibi olduğunuzda, insanlar son derece öngörülür olurlar. Kurbanların düşündeki herkesin hikâyesindeki ana karakterin büyüsü altında olduğunu görebilirsiniz. Onların *yegâne* bakış açıları budur. Hayata bakışları çok dardır, dardır çünkü inançları ayna gibi, sadece inandıklarını onlara gösterir ki bunun hakikat olmadığı açıktır. Kendi inandıklarını size yansıtırlar ve siz onların yansıttıklarını algılarsınız ama hiç kişisel almazsınız çünkü yansıttıklarının doğru olduğunu varsaymazsınız. Yansıttıklarının kendilerine dair inançları olduğunu bilirsiniz ve bunu bilmenizin nedeni sizin de bir zamanlar aynı şeyi yapmış olmanızdır.

Bir kez duru görülü olduğunuzda, diğer tüm sanatçıların kendilerine yaptıklarını görürsünüz ama bakış açınız tamamen kişiler üstüdür. Öğrenmeyi tersine çevirme süreci sizi öyle bir yere götürür ki, hikâyenizde artık ne kurban ne de yargıç bulunur. Sadece bir hikâyedir. Onun kendi yaratınız olduğunu bilirsiniz ama sanki başkasının başına geliyormuş gibidir. Tüm hikâyeleri, tüm sembolleri görürsünüz; insanların bütün bunlarla nasıl oynadıklarını görürsünüz ama sizi hiç etkilemez. Hiç alınmazsınız çünkü tamamen bağışıklık kazanmışsınızdır. Yüzler görür, yüzleri seversiniz ama aynı zamanda sizin düşünüze ait olmayan bir şeylerin de farkındasınızdır. Bu, diğer sanatçıların gördükleri kişisel rüyadır ve onların düşlerine, yaratılarına tümüyle saygı duyarsınız.

Saygı çok güzel bir kelime ve anlayabileceğimiz en önemli sembollerden biri. Bu sözcüğü daha önce hiç duymadığınızı hayal edin, onu biz uydurmuş olalım ve anlamı üzerinde anlaşalım çünkü her semboldeki gibi, onunla anlaşmış olmalıyız ki işimize yarasın. Saygı, sembollerin çoğu gibi önce bizimle başlayıp sonra çevremizdeki her şey ve herkese uzanır. Kendimize saygı duymuyorsak, başkasına ya da başka şeylere de duyamayız.

Kendinize saygı duyduğunuz zaman, kendinizi olduğunuz gibi kabullenirsiniz. Başkalarına saygı duyduğunuzda, onları tam oldukları gibi kabullenmişsiniz demektir. Doğadaki hayvanlara, okyanuslara, atmosfere, dünyaya saygı duymanız, tüm yaratılışı olduğu gibi kabul ettiğiniz anlamına gelir. Bu dünyaya vardığımızda, her şey bizden önce yaratılmıştı bile. Neyin yaratılıp yaratılmayacağına karar vermek bizim tercihimiz değildi. Olup bitmişti, biz de saygı gösterdik. Biz daha iyisini yapabilir miyiz? Belki ama ben sanmıyorum. O halde, saygı mevcut olan her şeyi tam olduğu gibi kabul etmektir, bizim istediğimiz haliyle değil. *Saygı* kelimesinin bir anlamı aşağı yukarı budur.

Kendinizi olduğu gibi kabullendiğinizde artık yargılamazsınız. Başkalarını oldukları gibi kabul ettiğinizde, onlarla ilgili yargılarınız da artık yok olmuştur. O zaman dünyanızda inanılmaz bir şey olur: Huzur bulursunuz. Ne kendinizle ne de başkalarıyla çatışma halindesinizdir artık. İnsanlık, saygı yokluğundan dolayı bunca çatışma içindedir. Her savaş diğer sanatçıların yaşam tarzlarına saygı göstermemiş olduğumuzdan çıkar. Onların haklarını savunmak yerine, başkalarına kendi inandıklarımızı dayatmaya başlarız. Barış yerine savaş olur.

Saygı, sınıra benzer. *Hak* dediğimiz şey, saygıyla kol kola gider. Nasıl evrende mevcut her şeyin hakları varsa, bizim de haklarımız vardır. Milyarlarca varlıkla paylaştığımız bir dünyada yaşıyoruz ve saygı tüm düşçülerin ahenk ve barış içinde yaşamalarını mümkün kılar.

İkinci dikkatin düşünde, kişisel cennetimizi yaratmaya başlarız ve üçüncü dikkatin düşüne eriştiğimizde hayatımız cennet *olur*. Cennet bizlerin kral veya kraliçe olduğumuz bir krallıktır. Benim kişisel bir krallığım var, o bir cennet ama her zaman cennet değildi. Hem kendimi hem de başkalarını yargılamayı bıraktığım an cennet oldu; yani kendi krallığıma tamamen saygı göstermeye karar verdiğim ve başkalarının krallıklarına saygı göstermeyi öğrendiğim zaman. Beşinci anlaşmanın konusu aynı zamanda saygı, zira hikâyelerini *dinlediğimde*, diğer sanatçılara saygı duyuyorum. Onlara hikâyelerini yazmakta yardımcı olmak yerine, kendi hikâyelerini yazmalarına izin veriyorum.

Nasıl başka kimsenin benim hikâyemi yazmasına izin vermeyeceksem, sizin hikâyenizi yazan da ben olmayacağım. Sizin aklınıza, düşünüze, yarattıklarınıza saygım var. Neye inanırsanız inanın, ona da saygılıyım. Hayatı nasıl yaşamanız gerektiğini, nasıl giyineceğinizi, nasıl yürüyüp konuşacağınızı, krallığınızda nasıl davranacağınızı size söylemeye çalışmayarak, size saygı gösteriyorum. Krallığınızı kontrol etmeye kalkıştığım zaman, artık size saygı göstermemiş olurum ve krallığınızın kontrolü için savaşa tutuşuruz. Sizi kontrol etmeye çalışırsam, sizi kontrol niyetiyle kendi özgürlüğümü yitiririm. O halde benim özgürlüğüm, sizi kendi halinize bırakmaktır, istediğinizi yapmanızdır. Sizin sanal gerçekliğinizi değiştirmek benim işim değil. Benim işim kendimi değiştirmek.

Siz kendi krallığınızın kralı ya da kraliçesiniz. O sizin yaratınız; yaşadığınız yer ve tamamı sizin. Kendi krallığınızda düş görüyorsunuz ve orada son derece mutlu olabilirsiniz. Nasıl mı? Birincisi, kendi krallığınıza saygı duymanız gerek yoksa o krallık cennet olmaktan çıkıp cehenneme döner. İkincisi, hiç kimsenin krallığınıza saygısızlık etmesine izin vermeyeceksiniz. Kim ona saygısızlık ederse kendisini dışarıda bulur. Krallık sizin; hayat sizin. Kendi hayatınızı kendinizce yaşamak, hakkınız ve bunun yanlış yolu yok. Yanlış yol yine bizim yarattığımız bir yargılamadır.

Bireysel savaşınızı kazandığınızda hiçbir şeye dair yargınız yoktur ve başkalarının yargıları da sizi etkilemez. Elbet herkes gibi siz de hata yaparsınız ama kafanızda kusursuz bir adalet vardır. Her hatanın bedelini yalnızca bir kez ödersiniz ve kendinize nazik olduğunuz, kendinizi sevdiğiniz için bu bedel çok düşüktür.

Belki de şimdi sizinle paylaştığım bu sözler kafanızın içinde yaşayan o ses için bir anlam taşıyordur. Ve belki de o ses bu yeni enformasyon ile düş görmeye başlayabilir ve zorbalığı bırakmaya, sizi yargılamamaya, cezalandırmamaya karar verebilir. Kıyamet gününüz, yargılanacağınız son gün gelmiştir belki de. Size kalmış bir iş. Zorbayı sizi yargılamamaya ikna edebilirseniz, kısa süre sonra sizin için her şey değişecektir.

Zorbanın, düşmanınız yerine müttefikiniz olduğunu hayal edin; hayatınızı bir dram gibi oynamak yerine barışı sağlamanıza yardımcı olacaktır. Zorba müttefikiniz olduğunda bir daha hiç size karşı gelmez; asla sizi sabote etmez. Ne yaratmak isterseniz, ona kolaylık gösterir. O zaman zihin de ruhun güçlü bir aracı haline gelir; güçlü bir müttefik olur. Sonuç tamamen farklı bir düştür; size ait bir cennet.

Cennet düşünde, her şeyin tam olması gerektiği gibi olduğu bilgisiyle, hayata tamamen teslim olursunuz. Ve her şeyi olduğu gibi kabullendiğiniz için artık hiçbir şeye dair kaygınız yoktur. Hayatınız heyecan doludur, zira korku gitmiştir. Tam yapmanız gerekeni yapmakta olduğunuzu ve geçmişte olanların olması gerektiğini bilirsiniz. En kötü yanlışlarınız diye baktıklarınız bile mukadderdi çünkü sizi daha büyük bir farkındalığa yöneltti. Başınıza gelebilecek en kötü şeyin olması dahi gerekli çünkü sizi gelişmeye itecektir.

Başımıza gelecek en kötü şey ne olabilir? Ölmek mi? Hepimiz öleceğiz ve bu konuda yapılacak bir şey yok. Ya bu yolculuktan zevk alacağız ya da ona karşı koyup acı çekeceğiz. Ancak, direnmek beyhude. Ne isek o olmak üzere programlandık ve ancak o olabiliriz. Ama sanal gerçekliğimiz içinde, kendi programlanmamıza karşı gelebiliriz. Bir yığın direnç işte böyle yaratılır. Mücadele yalnızca dirençtir ve direnç acı çekmeye yol açar.

Hayata teslim olunca, her şey sihirli değnek değmişçesine değişir. Bedeninizden akan, zihninizden akan o kuvvete teslim olun ve hayata bakışınız değişsin. Bir oluş biçimidir bu: *Hayat* olmak. Mutlusunuz çünkü hakikatsiniz. Nerede olursanız olun, ne yaparsanız yapın mutlusunuz. Canınız sıkılırken bile hayattan zevk alırsınız. Sorun yaratırken bile hayattan keyif alırsınız. Özgürsünüz, bu, düşüne takılıp kalmayan bir düş ustasının özgürlüğüdür. Dikkatinizle düşe asılıp, istediğinizde çıkarsınız. Dışarıdaki düş dikkatinizi çekmek ister ama siz onun bağlantı kurmasına izin verirken o bağı istediğiniz an kopartırsınız. Bir andan ötekine, gördüğünüz düşü değiştirebilir ve ta baştan başlayabilirsiniz.

Her anda neyi saklamak neyi bırakmak istediğinizin tercihini yaparsınız. Ama kelimelerle değil. Bir hikâye yazmanız gerekmez ama isterseniz yazabilirsiniz. Hikâyenizde, başınıza her ne gelmişse, onun için tüm dünyayı suçlayabilir ya da hikâyenizin sorumluluğunu alıp sanatçısı olur, hikâyeye bakar onu istediğiniz gibi değiştirirsiniz. Yoksul ya da zengin olabilirsiniz. Önemli değil. Ünlü olur ya da olmazsınız, bunun da önemi yok. Karanlıklar dünyasında ünlü olmanın eğlenceli olduğunu hiç sanmam. Cehennemi yönetmek de eğlenceli değildir bence ama bir tercihtir. O tercihi de yapabilirsiniz. Yarattığınızın sorumluluğunu alıyorsanız, hayatta istediğiniz her şeyi yaratabilirsiniz. Hikâyenizi baştan yazabilir, düşünüzü yeniden yaratabilirsiniz. Ve eğer yarattığınıza sevginizi de katmaya karar verirseniz, eskiden dram olan tüm hikâyeler en güzel romantik komedilere dönüşüverir.

Belki hikâyenizi henüz bitirmediniz ve kim bilir, belki de asla bitirmezsiniz. Gerçekten o kadar da önemi yok bunun. Hayatınızla neler yaptığınız o kadar önemli değil. Başkalarının hayatta ne yaptıkları da önemli değil üstelik sizin üzerinize vazife hiç değil. Hemen hiçbir şeyin o kadar önemi yok. Ancak bir şeyin önemli olduğunu söyleyebiliriz ki o da *hayatın* kendisidir. *Niyetin* kendisidir; Yaratandır. Yaratılış o kadar önemli değildir; dışavurum günden güne, anbean, nesilden nesle değişecektir. Hayat sonsuzdur ama düşünüz sadece siz bu maddi bedende oldukça vardır. Burada yaptıklarınızı yanınızda götüremezsiniz. Onlara ihtiyacınız olmayacak. Asla yoktu; asla olmayacak.

Ancak bu yaratmayacaksınız anlamına gelmez. Elbette yaratacaksınız çünkü yaratmak doğanızdır. Her zaman yaratmaktasınız; her zaman kendinizi ifade ediyorsunuz. Sanatçı olarak doğdunuz ve sanatınız ruhunuzun bir ifadesi; sizi siz yapan kuvvetin ifadesi. Ne kadar güçlü olduğunuzu biliyorsunuz ve o güç gerçek. Neler öğrendiğinizi biliyorsunuz ve bildiklerinizin hepsi gerçek değil.

Hakikat tam önünüzde cereyan ediyor. Hayatı yaşamak, hakikati yaşamaktır. Hakikati *görmek,* dünyanızda muazzam bir fark oluşturur; hakikat *olmak* asıl hedeftir çünkü o gerçek sizsiniz. Hakikat olmayan önemsizdir. Önemli olan, hakikat arzunuz, hakikat sevginizdir ve gerçek öğreti budur.

13

ÜÇ DİL

Nasıl Bir Elçisiniz?

BEŞİNCİ ANLAŞMA Toltek öğretilerinin en gelişmişidir çünkü bizi gerçekte ne isek ona, yani hakikatin elçiliğine dönmeye hazırlar. Her konuşmamızla bir mesaj veririz ve eğer sunduğumuz hakikat değilse, gerçek niteliğimizin farkında olmadığımızdandır. İşte, Dört Anlaşma, ne olduğumuza dair farkındalığımızı yeniden keşfetmemize yardımcı olur. Sözümüzün gücünün farkına varmamıza yardımcı olur. Ama asıl amaç beşinci anlaşma çünkü o bizi sembolojinin ötesine götürür ve yarattığımız her sözden sorumlu tutar. Beşinci anlaşma sembollere bağladığımız gücü geri kazanmamıza yardım eder. Ve sembollerin ötesine geçince, bulduğumuz güç inanılmazdır çünkü o sanatsal yaratıcının, hayatın, *gerçek* bizin gücüdür.

Beşinci anlaşma benim *elçilik eğitimi* ya da *melek eğitimi* dediğim şey içindir; çünkü o verecek bir mesajı olduğunun farkında olan elçiler içindir. *Melek* [angel] Yunanca elçi (mesaj taşıyan) anlamına gelen bir sözcüktür. Melekler gerçekten vardır ama dinin o kanatlı olanlarından söz etmiyorum. Hepimiz elçiyiz ama kanatlarımız yok ve kanatlı meleklere inanmıyoruz. Dini hikâyelerdeki kanatlı melekler sadece semboldür, kanatlar meleklerin uçabilecekleri anlamına gelir.

Melekler uçarak bilgi, mesaj dağıtırlar ve gerçek mesaj hayat ya da hakikattir. Ama bu dünyada hayat dağıtmayan, gerçeği dağıtmayan o kadar çok elçi var ki. Dünya, farkında olan ya da olmayan milyarlarca elçiyle dolu. Çoğunluğun farkındalıktan yoksun olduğu açık. Mesaj almak ve dağıtmak üzere programlanmışlar ama elçi olduklarından haberleri yok. Dünyadaki insanların çoğunluğu sembolleri kendilerinin yarattıklarından habersiz. Sembollerin gücünün nereden geldiğinden habersizler, demek ki sembollerin tam kontrolü altındalar.

Ne tür elçi bunlar? Cevap belli. Sonuçları dünyamızda görüyorsunuz. Şöyle bir bakının etrafınıza, ne tür elçi olduklarını anlarsınız. Bunu keşfedince, beşinci anlaşma daha da anlamlı oluyor. *Kuşkucu ol ama dinlemeyi de bil.* Bu elçiler arasındaki fark nereden gelecek? Cevap farkındalıktır. Elçilik eğitimi bize bunu sağlar. Bu dünyaya nasıl bir mesaj verdiğimizin bilincinde olmamıza yardımcı olur. Tolteklerin bakış açısıyla, mesaj vermenin üç yolu ya da insanların dünyasında sadece üç dil vardır: Dedikodu dili, savaşçının dili ve hakikatin dili.

Dedikodu dili tüm insanların konuştuğu lisandır. Herkes dedikodu yapmasını bilir. Bu dili konuştuğumuzda, mesajımız çarpıtılmıştır; çevremizdeki her şey ama asıl kendimiz hakkında dedikodu yaparız. İnsanların başka bir dil konuştukları yabancı bir ülkeye gidersek kullandıkları semboloji ne olursa olsun tıpkı bizim gibi dedikodu diliyle konuştuklarını görürüz. Ben bu dile büyük *mitote* diyorum. Farkındalığın bulunmadığı sıradan düşte, bu büyük *mitote* insan zihnini ele geçirerek, bizim kelimelerin anlamını yorumladığımız biçimiyle bütün yanlış anlaşılmalara, çarpıklıklara neden olur.

Dedikodu dili, kurbanın lisanıdır; haksızlık ve cezalandırmanın dilidir. Cehennemin dilidir çünkü tüm o dedikodular saf yalandır. Ancak insanlar daima dedikodu yapacaklardır çünkü bizler içimizdeki dedikodu yapma programında bir değişim olana kadar dedikodu yapmaya programlanmış durumdayız. Dedikoduya isyan ettiğimiz an, budur. Böylelikle kafamızdaki savaş başlar; hakikatle yalanlar arasındaki savaş.

156

İkinci dil, savaşçının dilidir. Bu dili konuştuğumuzda, farkındalığımıza bağlı olarak, bazen doğru, bazen de yalan söyleriz. Zaman zaman yalanlara inanırız. Bu bizi dosdoğru cehenneme yollar. Bazen de hakikate inanırız, bu da bizi dosdoğru cennete yollar. Ancak hâlâ inanırız, demek ki semboller hâlâ inancımızın gücüne sahiptirler. Savaşçılar olarak, bir düşten ötekine atlarız; bazen cennette bazen de cehennemde oluruz. Tahmin edebileceğiniz gibi, savaşçının dili dedikodu dilinden bin kez daha iyidir ama yine de insanlar konuştukları dili değiştirmeye programlanmışlardır.

Üçüncü dil hakikatin dilidir ve bu lisanı konuşmak, neredeyse hiç konuşmamaktır. Bu noktada, sembolleri yaratanın kendimiz olduğunu hiç kuşkuya yer bırakmadan biliriz. Tüm sembollere kendi türümüzle iletişim kurabilmek için anlam verenin kendimiz olduğunu bilir, onları bu amaçla elimizden geldiğince doğru ve titizlikle kullanırız çünkü mesaj *biziz*. Artık burada yalan yoktur; çünkü farkındalıkta ustalaşmışızdır; çünkü kendimizi hayat ve hakikat olarak görürüz.

Hakikatin dili çok özeldir çünkü düş ustasının dilidir o, rüyalarda usta olan sanatçının dilidir. Ustanın dünyasında daima müzik, resim ve güzellikler vardır. Usta sanatçılar her daim mutludurlar, huzurludurlar ve hayattan zevk alırlar.

Bu üç iletişim diline ben 1-2-3 dili, A-B-C dili ve Do-Re-Mi dili derim. Dedikodu dili 1-2-3'tür çünkü öğrenmesi basit ve herkesin konuştuğu dildir. Savaşçının dili A-B-C'dir çünkü savaşçı sembollerin zorbalığına başkaldırandır. Hakikatin dili Do-Re-Mi'dir çünkü o, kafalarında büyük *mitote* yerine müzik taşıyan sanatçılar içindir.

Benim konuşmayı sevdiğim, Do-Re-Mi dilidir. Kafam her zaman müzikle doludur çünkü müzik zihni dağıtır ve zihin arada olmayınca sadece saf *niyet* vardır. Kafamdaki bütün müziğin bir düşten başka bir şey olmadığını bilsem de, hiç olmazsa düşünüp hikâye uydurmuyorum.

Elbette, istesem bir hikâye uydurabilirim üstelik güzel de olur. Dikkatimi sembollere odaklarım ve sizinle iletişim kurmak için anlayacağınız türden semboller kullanırım. Sizin söylediklerinizi işitmek için de semboller kullanabilirim. Bu genellikle sizin hikâyenizle ilgilidir. Siz bana doğru olduğuna inandığınız bir sürü şey söylersiniz ve ben öyle olmadıklarını bilirim. Ama siz anlattığınızda, dinleyip tam nereden geldiğinizi anlarım. Belki de sizin görmediğinizi görürüm. Ne olmaya çalıştığınızı değil *gerçek* sizi görürüm. Olmaya çalıştığınız kişi o kadar karmaşıktır ki, ben onu anlamaya bile yeltenmem. Onun siz olmadığını bilirim. Gerçek siz, sizin varlığınızdır ve bu dünyadaki herhangi bir şey kadar güzel ve şahanedir.

Açılmış güzel bir gül görünce, onun varlığı bile insanı harika hissettirir. Kendinize o gülün ne kadar şahane olduğunu anlatmanız gerekmez; onun tüm güzelliğini ve romantikliğini görürsünüz. Gülü kokladığınızda, ağzını açıp tek kelime bile söylemez. Mesajı anlarsınız ama sözlerle değil. Bir ormana giderseniz, farklı bir semboloji ile başka kuşlarla konuşan kuşlar ve ağaçlarla konuşan ağaçlar görürsünüz. Çevrenizdeki her şeyin içsel iletişimini görüp hayrete düşersiniz. Bu dünyanın her yerinde mesaj getiren elçiler var ama siz acaba bunu hiç düşündünüz mü?

Bu dünyaya geldiğinizden beri sürekli mesaj verdiğinizi hiç fark ettiniz mi? Daha siz doğmadan önce bile, anneniz hamile olduğunu fark ettiğinde, mesaj orada hazırdı. Ana babanız dört gözle sizi, doğum anınızı bekliyordu. Bir mucizenin yaklaştığını biliyorlardı ve siz doğar doğmaz hemen mesajı sözler olmaksızın, getirdiniz. Sizin varlığınızı hissettiler. Bu bir meleğin doğuşuydu ve mesaj *sizdiniz*.

Mesaj sizdiniz, hâlâ da sizsiniz ama şimdi mesaj taşıyan diğer elçilerin yansımalarıyla çarpıtıldınız. Bu, elçilerin kabahati değil, sizin kabahatiniz de değil, hatta kimsenin kabahati değil. Bu çarpıtılma mükemmel çünkü tek var olan mükemmelliktir, ancak sonra büyür, farkındalığa erişir ve farklı bir mesaj dağıtmayı seçebilirsiniz. Konuştuğunuz lisanı değiştirerek hayatın daha iyi bir yansıması olabilirsiniz. Kendiniz ve başkalarıyla iletişim kurma biçiminizi değiştirerek mesaj verme şeklinizi değiştirebilirsiniz.

Şimdi size basit bir soru. Soruyu anlamanızı istiyorum ama cevabı kafanızdaki o sesin vermesine müsaade etmeyin. Bu sözlerin, arkalarındaki anlam ve niyeti hissedebileceğiniz bir yere, doğrudan yüreğinize gitmesine izin verin. Soru şu: *Nasıl bir elçisiniz?* Bu bir yargılama değil. Sadece zihninize gidecek ufak bir şüphe ama farkındalıkta büyük bir adım. Eğer soruyu anladıysanız, o zaman biraz şüphe tüm hayatınızı değiştirebilir.

Nasıl bir mesaj taşıyıcısınız? Gerçeği mi dağıtıyorsunuz yoksa yalanları mı? Hakikati mi algılıyorsunuz yoksa sadece yalanları mı? Her şey hakikat ile yalanlar arasındadır. Sorunun özü budur ve tüm fark buradadır çünkü (içsel ya da insanlar arası) tüm çatışma yalan dağıtmak ve yalanlara inanmaktan kaynaklanır.

Nasıl bir elçisiniz? Dedikodu ve yalan taşıyan bir elçi mi? Tüm yalanlar, tüm dedikodu, yalanlara inanmanın sonucu ortaya çıkan tüm dramın içinde kendinizi rahat hisseder misiniz? Çevrenizdekilerle paylaştığınız bu mu? Çocuklarınıza öğrettiğiniz bu mu? Sorunlar için hâlâ ana babanızı mı suçluyorsunuz? Unutmayın, onlar ellerinden geleni yapmışlardı. Ana babanız sizi taciz etmiş bile olsa, bu kişisel bir şey değildi. Kendi korkularından kaynaklanıyordu; inandıkları şeylerden kaynaklanıyordu. Sizi taciz ettilerse, kendileri de edilmiştir. Sizi incittiyseler, kendileri de incinmiştir. Bu sürüp giden bir etki-tepkidir. Siz bu zincirin parçası olmayı sürdürecek misiniz, yoksa onunla işiniz bitti mi?

Nasıl bir elçisiniz? Cennet ile cehennem arasında mücadele eden bir savaşçı mısınız? İnsanlar size "Hakikat budur" dediklerinde hâlâ onlara inanıyor musunuz? Hâlâ kendi yalanlarınıza inanıyor musunuz? Kendinize verdiğiniz mesaj size cehennemin yolunu gösteren türden ise, en çok sevdiklerinize nasıl bir mesaj veriyorsunuz? Canınız gibi sevdiğiniz çocuklarınıza ne tür bir mesaj veriyorsunuz? Sevdiğinize, ana babanıza, kardeşlerinize, arkadaşlarınıza, çevrenizdeki herkese ne tür mesajlar veriyorsunuz?

Nasıl bir elçisiniz? Bana kendiniz için yarattığınız düşlerin nasıl olduklarını anlatırsanız, ben de size ne tür bir elçi olduğunuzu söylerim. Kendinize nasıl davranıyorsunuz? Kendinize nazik davranıyor musunuz? Kendinize saygı duyuyor musunuz? Başkalarına saygı gösteriyor musunuz? Kendinize dair ne hissediyorsunuz? Hatta kendinizi seviyor musunuz? Kendinizle gurur duyuyor musunuz? Kendinizle mutlu musunuz? Düşünüzde bir dram ya da haksızlık var mı? Düşünüzde bir yargıçla bir kurban var mı? Bu düşte yırtıcılar ve şiddet var mı? Öyle ise, düşünüz mesajınızı çarpıtıyor demektir. Yargıç, kurban ve kafanızdaki tüm sesler her şeyi çarpıtıyorlar.

Şu anda hem kendinize hem de çevrenizdekilere bir mesaj veriyorsunuz. Sürekli mesaj vermektesiniz ve bir zihinden ötekine devamlı bir mesaj alıyorsunuz. Bu dünyada verdiğiniz mesaj nedir? Bu mesaj kusursuz mudur? Her zaman semboller kullandığınızı fark etmiyor musunuz bile?

Sadece dağıttığınız mesajları gözlemleyin bir. Sözleriniz hakikatten mi geliyor yoksa bilginin sesinden mi, zorba ya da büyük yargıçtan mı? Mesajı dağıtan kim? *Gerçek* siz mi? Bu düş sizin. Mesajı dağıtan, siz değilseniz kim? Bu iyi bir soru değil mi?

Konuşurken, başkalarına yansıttığınız sözlerin etkisini görebiliyor musunuz? Bir duvara konuştuğunuzu hayal edin. Cevap beklemeyin. Sözlerinizi işitmek duvarın işi değil. Ağzınızdan çıkanları duymaya başlamak sizin işiniz. Duvarla konuştukça mesajınız giderek netleşir. Bundan sonra doğruluğun önemi barizdir.

Şimdi hayal gücünüzü kullanarak tüm hayatınızda başkalarıyla nasıl etkileşimler içinde bulunduğunuza bakmanızı istiyorum. Çevrenizdekilerle etkileşiminize dair eminim bir sürü anınız vardır. İnsanlar size sürekli mesaj veriyorlar, siz de onlardan mesajlar alıyorsunuz. Hayatınızdaki insanlar ne tür mesajlar veriyorlar, ne tür elçi onlar? Hayatınız boyunca size nasıl mesajlar verdiler? Tüm bu mesajlar sizi nasıl etkiledi? Başkalarından aldığınız bütün o mesajlardan kaçıyla hemfikirsiniz, kaçını benimsiyorsunuz? O mesajlardan kaçını hâlâ dağıtıyorsunuz? Başkasının mesajını dağıtıyorsanız, kimin mesajları onlar?

Hayatınız boyunca dağıttığınız ve aldığınız mesajlara dair bir farkındalık geliştirin. Kendiniz dahil, kimseyi yargılamanız gerekmez, yalnızca sorun: *Ben ne tür bir elçiyim, nasıl mesajlar taşıyorum? Hayatımdaki insanlar ne tür elçiler?* Farkındalıkta ustalaşmakta bu büyük bir adımdır; duru görülü olmakta da.

Verdiğiniz ve çevrenizdekilerden aldığınız mesajların bir kez farkında olunca, bakış açınız güçlü ve sağlam bir biçimde değişir. Başkalarının size verdikleri mesajları da onların ne tür elçi olduklarını da çok net bir biçimde görürsünüz. Sonraki aşamada farkındalığınız o kadar genişler ki, başkalarına verdiğiniz mesajları da tam olarak görürsünüz. Nasıl bir elçi olduğunuzu kesinlikle görürsünüz. Sözlerinizin etkisini, eylemlerinizin etkisini, varlığınızın etkisini.

Kendinize ve çevrenizdekilere devamlı bir mesaj veriyorsunuz ama esasen sürekli kendinize mesaj vermektesiniz. *Mesaj nedir?* Bu mesaj son derece önemli çünkü tüm hayatınızı etkiler. Hakikat dağıtan bir usta mısınız? Yalan dağıtan bir kurban mısınız? Usta mı yoksa zehir dolu dedikodu elçisi mi? Aslında cehennem ile cennet arasında gidip gelen savaşçı mı olduğunuz pek de fark etmez; siz içinizde mevcut olan enformasyonu dağıtırsınız; ne doğru ne de yanlış, ne iyi ne de kötüdür; yalnızca bildiğinizdir. Hayatınız boyunca öğrendiğinizdir ve ne öğrendiğinizin pek önemi yoktur. Neler öğretmiş olduğunuz, neler paylaştığınız aslında fark etmez.

Önemli olan, gerçekte neyseniz o olmaktır; yani samimi ve sahici olmak, hayattan zevk almak, sevgi olmak. Ve yalnızca insanların çarpıtmış oldukları sevginin *sembolü* değil, *gerçek* sevgi; sözlerle ifade edemediğiniz, gerçekte olduğunuz gibi olmanın sonucu sevgi. Daima şunu hatırlayın: Siz, mevcut her şeyi yaratan kuvvetsiniz. Bir tomurcuğa çiçek açtıran, gökyüzü ve yeryüzünü, yıldızları, galaksileri yerinden oynatan kuvvetsiniz. Mesajınız ne olursa olsun, kendinizi yine de sevin böyle *olduğunuz için*, ne olduğunuza *saygı* duyduğunuz için. Nasıl bir elçi olduğunuzdan artık hoşnut olmayacak kadar kendinizi sevmeye karar vermediğiniz sürece farklı olmanıza gerek yok.

Belki masum olduğunuz için, farkındalığa sahip olmadığınız için sözü kötüye kullandınız. Peki, farkındalığa sahipken de hâlâ aynı şeyi yapmayı sürdürürseniz ne olur? Farkındalığa bir kez sahip olunca artık masumiyet iddiasında olamazsınız. Ne yaptığınızı çok iyi bilirsiniz ve bu hâlâ mükemmeldir ama kendi kararınız ve seçiminizdir. Artık soru şudur: Ben nasıl mesajlar dağıtmayı *seçtim*? Hakikati mi, yalanları mı? Sevgiyi mi, korkuyu mu? Benim tercihim hakikat ve sevgi mesajları dağıtmak. Ya sizinki?

SON SÖZ
Dünyayı Değiştirmekte
Bana Yardım Edin

EĞER ARTIK KENDİ ELÇİLİĞİNİZ sizi tatmin etmiyorsa, eğer hakikat ve sevginin elçisi olmak istiyorsanız, o halde sizi insanlık için yeni bir düşe, *hepimizin* ahenk, hakikat ve sevgi içinde yaşayabileceğimiz bir rüyaya katkıda bulunmaya davet ediyorum.

Bu düşte, tüm din ve felsefelerden insanlar buyur edilmekle kalmaz, saygıyla da karşılanır. Her birimizin neye istersek ona inanmaya, istediğimiz din ya da felsefeyi izlemeye hakkımız vardır. İsa'ya mı, Musa'ya mı, Allah'a mı, Brahma, Buda ya da herhangi başka bir varlık ya da ustaya mı inandığımız hiç fark etmez. Herkes bu düşü paylaşmaya davetlidir. Benim bütün hikâyelerime inanmanızı sizden beklemiyorum ama eğer içinizde bir titreşim başlatıyorlarsa, sözlerin arkasındaki hakikati görebiliyorsanız, gelin bir anlaşma daha yapalım: *Dünyayı değiştirmekte bana yardım edin.*

Elbette, burada ilk soru şudur: Dünyayı nasıl değiştireceksiniz? Cevabı kolay. *Kendi* dünyanızı değiştirerek. Ben sizden dünyayı değiştirmek için yardım istediğimde, Dünya adlı gezegenden söz etmiyorum. Kafanızda var olan sanal dünyaya atıfta bulunuyorum. Değişim sizinle başlar. Önce kendi dünyanızı değiştirmediğiniz sürece, bana dünyayı değiştirmekte yardımcı olamazsınız.

Dünyayı, kendinizi severek, hayattan zevk alarak, kişisel dünyanızı bir cennet düşü haline getirerek değiştirebilirsiniz. Sizden yardım istiyorum çünkü kendi dünyanızı ancak siz değiştirebilirsiniz. Dünyanızı değiştirmeye karar verirseniz, bunun en kolay yolu, sağduyudan ibaret olan araçları kullanmaktır. Bu araçlar Beş Anlaşma'dır. *Sözünüz özenle seçilmiş ise, hiçbir şeyi kişisel algılamıyorsanız, varsayımda bulunmuyorsanız, daima yapabileceğinizin en iyisini yapıyorsanız, dinlerken kuşkuyla dinliyorsanız,* artık kafanızda hiç savaş olmayacak; barış olacaktır.

Beş Anlaşma'yı uygularsanız, dünyanız düzelir ve mutluluğunuzu başkalarıyla paylaşmak istersiniz. Ama dünyayı değiştirmek, hikâyenizdeki yardımcı oyuncuları değiştirmek demek değildir. Dünyayı, *sizin* dünyanızı değiştirmek istiyorsanız, bunu yapmanın yolu hikâyenizdeki ana karakteri değiştirmektir. Ana karakteri değiştirirseniz, sihirliymişçesine, bütün yardımcı oyuncular da değişmeye başlar. Siz değişince, çocuklarınız değişir çünkü onlara verdiğiniz mesaj da değişecektir. Kocanıza veya karınıza verdiğiniz mesaj değişecektir. Arkadaşlarınızla ilişkiniz değişecektir. Belki de daha önemlisi, kendinizle ilişkiniz değişecektir.

Kendinize verdiğiniz mesaj değişince, daha mutlu olursunuz ve sadece mutlu olmanızdan, çevrenizde yaşayanlar da yararlanır. Çabanız aslında herkes içindir çünkü coşkunuz, mutluluğunuz, cennetiniz bulaşıcıdır. Siz mutlu olduğunuzda çevrenizdeki insanlar da mutlu olur ve bu onlara kendi dünyalarını değiştirme ilhamı verir.

Bizler koca bir mirasın temsilcileriyiz. *Biz* demekle tüm insanlık namına konuşuyorum. Mirasımız sevgidir; coşkudur; mutluluktur. Gelin, bu dünyanın keyfini çıkartalım. Birbirimizin tadına varalım. Birbirimizi sevmek için yaratıldık, nefret etmek için değil. Gelin, farklılıklarımızın bizi birbirimizden daha üstün ya da daha kötü yaptığına inanmaktan vazgeçelim. O yalana inanmayalım. Farklı renklerimizin bizi farklı insanlar haline getirdiğine inanmayalım. Kimin umurunda? Bu da başka bir yalan. Hayatımızı kontrol eden bütün o yalan ve batıl inançlara inanmak zorunda değiliz. Artık kimsenin işine yaramayan tüm yalan ve batıl inançlara son vermenin zamanı geldi. Fanatizme son vermenin zamanı deldi. Hakikate dönebilir, onun elçileri olabiliriz.

Verecek bir mesajımız var ve bu mesaj bizim mirasımız. Çocukluğumuzda, ana babamızın ve atalarımızın mirasını devraldık. Harika bir dünya geçti elimize ve şimdi çocuklarımız ve torunlarımıza kendi yaşadığımız kadar şahane bir gezegen bırakma sırası bizde. Gezegenimizi mahvetmeye son verebiliriz; birbirimizi mahvetmeye son verebiliriz. İnsanlar uyum içinde yaşayabilirler. Eğer istersek yapabileceklerimiz gerçekten inanılmazdır. Yegâne yapmamız gereken, yaptıklarımızın bilincinde olmak ve sahiciliğimize dönmektir.

Farklılıklarımız olduğunu biliyorum, bunun nedeni kendi kişisel düşlerimizde yaşamamız. Ama birbirimizin düşlerine saygı duyabiliriz. Her birimizin kendi düşümüzün merkezi olduğunu bilerek, birlikte yaşamakta mutabık olabiliriz. Her birimizin kendi inançlarımız, kendi hikâyemiz, kendi bakış açımız vardır. Milyarlarca bakış açısı olsa da, ışık, her birimizin arkasındaki hayat gücü aynıdır.

Bana dünyayı değiştirmekte yardım edin, bu sahici ve özgür olmaya bir davettir. Bu anlaşmayı almak üzere yüreğinizi açın. Size dünyayı değiştirmeye *çalışın* demiyorum. Çalışmayın, yapıverin. Bugün eyleme geçin. Çocuklarımıza ve torunlarımıza bırakacağımız miras şahane olabilir. Tüm düşünce tarzımızı değiştirebilir, onlara dünya ile nasıl bir aşk yaşanacağını gösterebiliriz. Nereye gidersek gidelim bizi izleyen bireysel cennetimizde yaşayabiliriz. Bu gezegene acı çekmeye geldiğimiz doğru değil. Dünya dediğimiz bu güzelim gezegen bir gözyaşı çanağı değil. Yeni düşünce tarzımız tüm o yalanların yerine geçebilir ve bizi hayatı yaşayacağımız harika bir yere taşıyabilir.

Nereye gidersem gideyim insanların buraya bir misyonla geldiğini, bu hayatta yapmamız gereken, aşmamız gereken bir şeyler olduğunu söylediklerini işitirim. O her ne ise, benim haberim yok. Ben de buraya bir misyonla geldiğimize inanıyorum ama misyonumuz bir şeyleri aşmak değil aslında. Sizin misyonunuz ve herkes için geçerli olan misyon kendinizi mutlu etmektir. Bunun "nasıl"ı sevdiğiniz şeyleri yapmanın milyarlarca şekli olabilir ama sizin hayat misyonunuz hayatınızın her bir anının tadına varmaktır. Bedenimizin er geç yok olacağını biliyoruz. Kalan sadece birkaç gün batımı ile şafak, keyfine varabileceğimiz birkaç dolunay. Şimdi yaşamanın, tam anda var olmanın, kendimizin ve birbirimizin keyfine varmanın zamanıdır.

Son yüzyılda, bilim ile teknoloji son derece hızlı gelişti ancak psikoloji iyice geride kaldı. Psikolojinin bilim ve teknolojiye yetişme zamanı gelmiştir. İnsan zihniyle ilgili inançlarımızı değiştirme vakti gelmiştir ve şu an gördüğüm tam bir acil durumdur; çünkü bilgisayar ve internet böyle giderse, yalanlar dünyaya hızla yayılıp kontrolden çıkacaktır.

İnsanların artık yalanlara inanmayacakları zaman gelmek üzere. Kendimizle başlasak bile amaç sadece kendi dünyamızı değil tüm insanlığı değiştirmek. Ancak önce kendi dünyamızı değiştirmeden tüm insanlığı nasıl değiştirebiliriz? Elbette bunları ayırmak kolay değil çünkü gerçekte ikisini de aynı zamanda yapmamız gerek.

O halde gelin bu dünyada bir fark yaratalım. Kafamızdaki savaşı kazanalım ve dünyayı değiştirelim. Dünyanın tamamının değişmesi ne kadar sürer? İki, üç ya da dört nesil mi? Hakikat şu ki, ne kadar süreceği umurumuzda değil. Acelemiz yoksa da, kaybedecek vaktimiz de yok. Dünyayı değiştirmekte bana yardım edin.

Yazarlar Hakkında

DON MIGUEL RUIZ

Don Miguel Ruiz; yedi yılı aşkın bir süreden beri *New York Times* bestseller listesinde olan *Dört Anlaşma* (*The Four Agreements*) ve *Ustaca Sevmek* (*The Mastery of Love*) ile *Bilginin Sesi* (*The Voice of Knowledge*) adlı çoksatan kitapların yazarıdır. Kitapları ABD'de yedi milyon nüshadan fazla basılmış ve düzinelerce dile çevrilmiştir. Neredeyse otuz yıldır, kadim bilgelikle modern çağ farkındalığının karışımından oluşan benzersiz bilgeliğini konferanslar, çalışma grupları ve dünyanın kutsal mekânlarına yolculukları aracılığıyla insanlarla paylaşmaktadır.

DON JOSE RUIZ

Don Jose Ruiz'in yetiştirildiği dünyada her şey mümkündü. Konuşmaya başlar başlamaz *nagual* (şaman) babası don Miguel Ruiz ile *curandere* (şifacı) büyükannesi Sarita Ana'nın çırağı oldu. Yeniyetmeliğinde, babasının arkadaşlarıyla eğitim görmek üzere Hindistan'a gitti ve yirmi üçüne geldiğinde aile soyunun varisi oldu. Don Jose, atalarının geleneğini sürdürerek, hayatını kadim Toltek öğretisini paylaşmaya adadı. Son yedi yıldır ABD'de ve dünyanın kutsal mekânlarında dersler ve konferanslar veriyor.

Her ikisinin de güncel programları hakkında bilgi için lütfen www.miguelruiz.com adresindeki web sitelerini ziyaret ediniz.

JANET MILLS

Amber-Allen Publishing'in kurucu ve yayımcısıdır. Miguel Ruiz'in Toltek Bilgeliği kitapları dizisinin editörü ve eşyazarı olduğu gibi, Deepak Chopra'nın uluslararası çoksatan *Başarının Yedi Spritüel Kuralı (The Seven Spiritual Laws of Success)* kitabının da editörüdür. Hayattaki misyonu kalıcı güzellik, bütünlük ve bilgelik içeren kitaplar yayımlamak ve insanlara en aziz ve değerli düşlerini gerçekleştirmekte ilham kaynağı olmaktır.

Sinema dünyasının üstün zekalı oyuncularından Sharon Stone ve Jody Foster bu kitabı çevresindeki insanlara öneriyor. Amerika'nın önde gelen Yeni Çağ yazarları bu kitabı sizlere öneriyor.

"Don Miguel Ruiz'in kitabı aydınlanmanın ve özgürlüğün bir yol haritasıdır."

Deepek Chopra *Başarının Yedi Ruhsal Yasası* kitabının yazarı

"Büyük dersler içeren ilham verici bir kitap."

Wyne Dyer *Kendin Olmak* kitabının yazarı

Castaneda geleneğinde, Ruiz temel Toltek bilgeliğini paylaşıyor. Modern dünyada yaşayan kadınlara ve erkeklere "Dingin Savaşçı" olarak yaşamın pratik uygulamalarını sunuyor.

Dan Millman *Dingin Savaşçı* ve *Ruhun Yasaları* adlı kitapların yazarı

Ustaca Sevmek

Don Miguel Ruiz

...ÖTESİ

 **kuraldışı**

workshop

deneyimsel farkındalık çalışması

yaşam okulu

bütünsel kinesiyoloji (PiKi)

NLP neuro linguistic programming	**yüzleş kucaklaş** **özgürleş**
etkisel **iletişim**	**gölgelerden** **aydınlığa**
doyumlu **ilişkiler**	**zihinsel** **denge** (PiKi seviye 1)
özsaygı (self-esteem)	**duygusal** **denge** (PiKi seviye 2)
amaç belirlemek ve **inisiyatif alabilmek**	**ruhsal** **denge** (PiKi seviye 3)
Derin Affediş (PiKi)	**Şifalı Dokunuşlar** (Meridyenler ve Beş Element - PiKi)

yöneten nil gün ve saim koç

KURALDIŞI AKADEMİ
Ayrıntılı bilgi için: 216 449 98 05 pbx www.kuraldisi.com

NLP

NLP her şeyin kendiliğinden, beklenenin de ötesinde bir kolaylıkla yoluna girdiği tesadüfi anların ardında yatan dinamiği inceleme ve uygulama bilmidir. NLP bu anların sizin seçiminiz doğrultusunda bilinçli olarak yaratılmasının bilmidir.

NLP ÖĞRENMEK SİZE NE KAZANDIRIR?

• Bütün ilişkilerinizde istediğiniz sonucu yaratacaksınız.

• Zihinsel stratejileri kolaylıkla çözümleyebileceksiniz.

• Fikirlerinizi net bir şekilde aktarabileceksiniz.

• Başkalarının sizi nasıl algıladığını fark edeceksiniz.

• NLP tekniklerini kullanarak yaşamınızı daha kaliteli hale getireceksiniz.

NLP tekniklerinin öğrenilmesi ve uygulanması kolay, yarattığı sonuçlar güçlü olduğu için sonuçları anında göreceksiniz.

NLP, iletişim kurmayı arzuladığınız her insanın kendine özgü dilini anlama ve o kişiyle kendi anladığı bireysel dilde iletişim kurabilme sanatıdır.

Edilgen insanın yaşamı tesadüflere bağlıdır.

Etkin insan yaşamını kendisi belirler.

Edilgen insan için anlaşılmak önemlidir.

Etkin insan için anlamak önemlidir.

Edilgen insan "Kimse beni anlamıyor" der.

Etkin insan "Seni anlıyorum" der.

NLP, "etkin insan olmak" sanatıdır.

Etkisel İletişim

İlk öğrendiğimiz şeylerden birisi konuşmak olduğu için iletişimi "bildiğimizi" varsayarız. Konuşmaktan çok daha öte olan iletişimi gerçekte ne kadar biliyoruz?

- NEDEN bazı insanlara anında kanımız kaynıyor ama en sevdiğimiz arkadaşımızın arkadaşı tanıştığımız an bizi rahatsız ediyor?

- NEDEN çocuklarımızdan birine kendimizi yakın hissederken diğerine aynı duyguyu hissedemiyoruz?

- NEDEN ilk bakışta sevimli bulduğumuz insan bir süre sonra bizi ilk anda çeken özellikleri yüzünden itici hale geliyor; gözümüze, bonkörlüğü müsrifliğe, rahatlığı sorumsuzluğa, kendine güveni ukalalığa dönüşüyor?

- NEDEN başka şirkette çalışırken bin bir zahmetle kadromuza aldığımız eleman, şimdi bize hiçbir işe yaramadığı duygusu veriyor?

- NEDEN yıllardır en derin sırlarımızı paylaştığımız dostumuzla artık iletişimin koptuğunu hissediyoruz?

- NEDEN iyi niyetli davranışlarımıza bile olumsuz tepkiler alıyoruz?

- NEDEN bazı insanlar karşısında zorlanıyoruz?

- NEDEN insanlar bizi yanlış anlıyor?

- NEDEN zaman zaman da olsa kırıcı olabiliyoruz?

- NEDEN sonradan pişmanlık duyacağımız tepkileri veriyoruz?

- NEDEN sık sık istemediğimiz sonuçlarla karşılaşıyoruz?

- NEDEN her zaman yeterince inisiyatif alamıyoruz?

- NEDEN insanlarla eşit ilişki kurmakta zorlanıyoruz?

Sözlü iletişim, iletişim buzdağının tepesidir. İletişimin yazılı olmayan "yasalarının" bilincine varmak, kişiyi şişe içindeki mesajını denize emanet etmekten kurtarır. Birey, iletmek istediği mesajın etkin taşıyıcısı haline gelir.

Doyumlu İlişkiler

Sürekli aynı ölümcül tuzağa düşüp ışığına çekildiği ateşte kavruluveren pervanelere dudak bükeriz. Peki ya biz? Bizi düş kırıklığından başka bir yere götürmeyen aynı kalıpları tekrarlayıp durmaktan ne kadar özgürüz?

Ya şu sorulara yanıtlarınız?

BEKÂRSANIZ;

- Bu kez farklı olacak diye başladığınız ilişkilerinizin sonu hep hüsran mı oluyor?
- Karşı cinsle iletişim kurmakta güçlük çekiyor musunuz?
- Kadınları/erkekleri anlamak mümkün değil diye mi düşünüyorsunuz?
- Aşk, tutku, alışkanlık ve sevgi arasındaki farkı biliyor musunuz?
- Kadınlar/erkekler konusunda şanssız olduğunuzumu düşünüyorsunuz?
- Geçmiş ilişkilerinizdeki partnerlerinizin ortak özellikleri var mı?

EVLİ YA DA BİRLİKTEYSENİZ;

- Eşinizle/sevgilinizle birlikteliğiniz tekdüze bir hale mi geldi?
- Eşiniz/sevgiliniz tarafından anlaşılmadığınızı mı düşünüyorsunuz?
- Eşiniz/sevgiliniz yaşamınızda bir boşluk mu dolduruyor?
- "Mutlu aşk yoktur" sözüne inanıyor musunuz?
- Birlikteliğin temeli olarak gördüklerinizin her insan için farklı olabileceğini hiç düşündünüz mü?
- Evlilik/birliktelik içinde yalnızlık duyuyor musunuz?

İlişkinizi farklı bir açıdan değerlendirip sorunlarınızın gerçek nedenlerinin farkına varabilir, kendinizi ve ihtiyaçlarınızı daha iyi tanıyarak daha sağlıklı ilişki kurabilirsiniz.

Özsaygı

Yüksek özsaygı, kişinin hem değerli hem yeterli olduğunu hissetmesidir. Sevmeye ve sevilmeye layık olduğunu derinden bilmektir. Hayatın her alanında kendi sorumluluğunu yüzde yüz alabilme gücüdür. Kendinin ve başkalarının içindeki iyiyi ortaya çıkarabilme yetisidir. Özdeğer, özgüven, özfarkındalık, özsaygı, özsevgi ve özsorumluluğun bir arada olmasıdır. Sevebilme ve empatik olabilme yetisidir. Hem alçakgönüllü hem cesur olabilmektir. Hayat boyu gelişime ve yeniliklere açık olmaktır.

Yüksek özsaygı, kendini beğenmişlik değildir. "Başkaları ne düşünür"e göre davranmak değildir. Kendini başkalarından üstün ya da aşağıda görmek değildir. İş hayatındaki başarılarla, ünle, parayla, konumla, unvanla geliştirilemez çünkü dışsal kaynaklı değildir.

0-6 yaş arasında temeli oluşan özsaygımızı bilinçlenerek geliştirebiliriz.

- ÖZSAYGI, "evet" demek istediğinde "evet", "hayır" demek istediğinde "hayır" diyebilmektir.

- ÖZSAYGI, evde tek başına iken aynada gördüğün kişiyi güvenilir bulmak, ona saygı ve sevgi duyarak gülümseyebilmek, bu insan benim dostum diyebilmek, karşı cins olsaydı onu eş olarak seçmeyi arzu edebilmektir.

- ÖZSAYGI, kendini beğenmişlikten kendini beğenmeye doğru yapılan bir yolculuktur.

Grup dinamiği oyunları ile değerlilik ve yeterlilik duygularınızı geliştireceğiniz bu bireysel gelişim workshopu, derin bir kendi gücünü keşif çalışmasıdır.

Amaç Belirlemek ve İnisiyatif Alabilmek

Amaç Belirlemek ve İnisiyatif Alabilmek workshopu, negatif bakış açısından *yararlanmanızı* ve pozitif bakış açısının bir adım *ilerisine geçmenizi* sağlayan devrim niteliğinde bir eğitimdir.

İş Yaşamında Başarı İçin:

- Gerektiği anlarda inisiyatif alabiliyor musunuz?
- Yaptığınız işten zevk alıyor musunuz?
- İşinizi nasıl zevkli hale getireceğinizi biliyor musunuz?
- Doğru zamanda, doğru kişilere, doğru soruları sorabiliyor musunuz?
- İş arkadaşlarınızın ilham kaynağı mısınız?
- Liderlik ve yöneticilik potansiyelinizi maksimum düzeyde kullanıyor musunuz?
- Takım arkadaşlarınızı nasıl motive edeceğinizi biliyor musunuz?
- Verileri, eğilimleri ve riskleri değerlendirerek optimal kararlar alabiliyor musunuz?
- İşyerindeki iletişiminizi, verimliliğinizi ve üretiminizi optimal kılacak eylem planları geliştiriyor musunuz?

Özel Yaşamda Başarı İçin:

- Öncelikli yaşam amacınızı tanımlayabildiniz mi?
- İnisiyatif alabiliyor ve cesaretle adım atabiliyor musunuz?
- Sıklıkla endişe, öfke, kızgınlık ve hayal kırıklığı gibi duyguların esiri oluyor musunuz?
- Kontrol edemeyeceğiniz şeyleri nasıl kabulleneceğinizi biliyor musunuz?
- Kontrol edebileceklerinizi zirveye taşımanın yollarını biliyor musunuz?
- Duygularınızı bastırmayıp sadece ve her koşulda kontrol etmeyi biliyor musunuz?
- Başkalarının içindeki en iyiyi ortaya çıkarabiliyor musunuz?

En iyi şeyleri hak ettiğinizin farkına varmanız; yaşamın her alanında en iyiyi elde etmeniz ve kendinizin en iyi versiyonunu yaşamanız için geliştirilen bu eğitimde yeteneklerinizi, kaynaklarınızı, zamanınızı, inisiyatif kullanma yeteneğinizi, cesaretinizi ve enerjinizi maksimum düzeye çıkarmayı öğreneceksiniz.

Yüzleş Kucaklaş Özgürleş

Fiziksel, duygusal, zihinsel ve ruhsal boyutlarıyla insan bir bütündür. Bu boyutlardan sadece birinde bile dengeyi sağlayamazsa mutsuz olur. Mutsuzluğunun nedeninin de kendisini tanımamaktan kaynaklandığının farkına varmaz.

İnsan, yaşamı boyunca karşısına çıkan olaylar, insanlar, koşullar sayesinde deneyimler kazanarak kendini tanıma (olgunlaşma) yolunda ilerler. Yaşlıların, "şimdi bildiklerimi keşke gençlik yıllarında bilseydim" diye yakındıklarını duyarız. Bu, onların eğer yaşamlarını yeni baştan yaşama imkânı olsaydı tercihlerini farklı şekillerde yapacaklarının göstergesidir.

Yani kendini tanımanın (olgunlaşmanın) bedeli uzun yıllar, hatta tüm bir ömürdür. Uzun ömrün bile olgunlaşmayı garantilemediği sıkça görülen bir gerçek. İnsanlar bedensel yetişkinliğe zamanla ulaşıyorlar ama ya ruhsal yetişkinliğe?

Kendinizle Yüzleşin workshopu "Hayatın Özet Panoraması"dır.

İnsanın yaşam alanını dört maddeye ayırabiliriz.

1. Bireyin hem kendisinin hem başkalarının bildiği şeyler.

2. Kendisinin bildiği ama başkalarının bilmediği şeyler.

3. Kendisinin farkında olmadığı ama başkalarının farkında olduğu şeyler.

4. Ne kendisinin ne de başkalarının farkında olduğu şeyler (olumlu ya da olumsuz)

İşte, uygulamalı egzersizler dizisinden oluşan workshop, özellikle üçüncü maddenin çoğu ile dördüncü maddenin bir kısmını bireyin bilincine çıkarmayı amaçlıyor.

İnsanlara "Kendinizi tanıyor musunuz?" diye sorduğumuzda çoğunun vereceği yanıt genellikle, "Tabii ki tanıyorum" olur. Oysa "tanımak" kavramı ile kastedilen, sadece birinci ve ikinci maddelerdir.

Yıllar sonra birikmiş "Keşke"leriniz olmaması için,

- Amaçlı bir yaşam için,

- Daha objektif, tutarlı ve isabetli yaşam seçenekleri için,

- Tepkisel değil etkisel, duygusal değil duyarlı bir insan olmak için,

- Kendinizle barışık olmak, kendinizi olduğunuz gibi sevmeyi öğrenmek için bu çalışmaya katılın.

Çünkü değerlisiniz.

Gölgelerden Aydınlığa

- Kendinizden sevgiyi nasıl esirgiyorsunuz?

- İlişkilerinizi nasıl sabote ediyorsunuz?

- Hayallerinizi neden gerçekleştiremiyorsunuz?

- Kendinizi, kendinizden (ve başkalarından) gizlemenin bedelini zihinsel, duygusal, fiziksel sağlığınızla ödediğinizin farkında mısınız?

- Enerjinizi tüketen ve sizi güçsüz kılan davranışlarınızı nasıl değiştirebilirsiniz?

- Geçmişinizle nasıl barışabilirsiniz?

- Kendinizi (ve başkalarını) nasıl affedebilirsiniz?

Geçmişin esaretinden özgürleşerek şimdiyle sağlıklı kucaklaşmak için iç dünyamızı iyileştirmek, kendimizi sevmenin, kendimizle barışık olmanın önkoşuludur.

İç dünyamızın dengeye gelmesi, dış dünyamızı da dengeye oturtur.

Olabileceğinizin en iyi versiyonu olmak en doğal hakkınız. Işığınız, gölgelerinizin ardında sevgiyle sizinle yeniden kucaklaşmayı bekliyor. Kendi ışığınızın yaşam yolunuzu aydınlatmasına izin verin. Gölgelerden aydınlığa çıkın. Yaşamınızı dönüştürün.

Kendi gücünüze, yaratıcılığınıza, "biricik"liğinize ve hayallerinize sahip çıkmak için yaşamınızı olumlu şekilde değiştirecek "Gölgelerden Aydınlığa Workshopu"na katılın ve en harika versiyonunuzla kucaklaşın.